Jean-Claude / Jean-Jacques
MAGENDIE / GOMEZ

JUSTICES

ATLAS/ECONOMICA

33, avenue du Maine   49, rue Héricart
75015 PARIS   75015 PARIS

Introduction

« C'est que les mots sont la forme des choses, leur appellation ou leur appel, la désignation d'une réalité ou d'un rêve. Et ces noms nous apprennent ce qu'elles sont ou disent ce que nous souhaiterions qu'elles soient. Parfois, ils s'identifient avec elles. Et parfois, nous ne comprenons plus, tant est grand l'écart entre la réalité et le rêve, pourquoi on les a appelées ainsi. Le mot de justice est de ceux-ci. »[1]

Les données permanentes de la crise de la justice

Le passif culturel

Faut-il s'étonner que la justice suscite la méfiance quels que soient les perfectionnements de ses structures, les changements de ses méthodes, l'humanisation de ses interventions! Conçue dans l'inconscient collectif comme un absolu, immanquablement confondue avec la vertu divine dont elle porte le nom, sa réalité ne peut que décevoir. Tout se passe comme s'il devait lui être éternellement reprochée de n'être qu'humaine.

Ne nous y trompons pas; si les palais ont aussi durablement copié l'architecture des temples, leurs décors, leurs rites, ce n'est pas tant pour imposer crainte et respect aux hommes que pour leur offrir l'image sacralisée de la justice qu'ils attendent.

Une anthologie de la réthorique judiciaire révèlerait l'importance et la persistance à travers les siècles, de la justice sacralisée et du juge divinisé. Ecoutons d'Aguesseau, avocat général au Parlement de Paris, s'adresser à ses collègues en 1702: «A la vue de cet auguste sénat, au milieu de ce temple sacré où le premier ordre de la magistrature s'assemble en ce jour pour exercer sur lui non le jugement de l'homme mais la censure de Dieu même, par où pouvons-nous mieux commencer les fonctions de notre ministère qu'en vous adressant ces nobles et sublimes paroles que l'Ecriture consacre à la gloire et à l'instruction des magistrats: juges de la Terre, vous êtes des Dieux et les enfants du Très-Haut. »[2]

---

1. M. Rolland, in *La justice en question*, Cahiers de la NEF, Librairie Jules Tallandier, janvier-mars 1970, p. 129.
2. Cité par Casamayor, *Les juges*, Le seuil, Coll. le temps qui court, 1957, p. 7.

Deux siècles plus tard, dans un livre consacré à la Justice sous la IIIe République, un avocat, Emile de Saint-Auban, reprend le même thème avec la même emphase : «qu'au-dessus des appétits qui se galvaudent à ses pieds, la magistrature lève la tête vers les grands espaces de lumière où, affranchi des brouillards qui l'oppriment, l'œil humain reconquiert sa vision. Elle y verra la beauté de sa tâche. Tout lui parle de son origine ; instituée au berceau des sociétés pour remplacer la force par le droit, la barbarie par la lumière, la passion par la raison, l'arbitraire par l'équité, il semble qu'on a voulu lui confier un sacerdose, et on l'a vêtue en prêtresse. En se couchant dans le sépulcre des institutions disparues, le vieux César romain lui a légué sa pourpre ; et cette pourpre, ni la poigne du soldat, ni le geste du philosophe, ni la secousse du railleur n'ont pu les lui arracher... le juge, sur son épaule, a gardé le manteau des Dieux. »[3]

Il était dès lors inévitable que le contraste violent entre la face glorieuse de l'institution idéalisée et la face d'ombre qu'offre sa réalité quotidienne, crée un dépit à la mesure des espoirs déçus et des rêves évanouis. Tel un dieu déchu, la justice devait se voir chargée de tous les péchés et accablée du fardeau de son histoire réduite à celle de ses insuffisances. Epices, vénalité des charges, tortures, ces caractéristiques du système judiciaire mort avec la Royauté continuent de peser sur l'institution actuelle, comme si, en la matière, la relativité admise dans l'étude de l'histoire des faits sociaux, qu'il s'agisse des mentalités, des mœurs ou de la politique, ne peut être acceptée. La perception de la justice apparaît alors comme la vision indignée d'un idéal toujours trahi.

Ainsi s'explique la violence des critiques dont elle est l'objet et qui vont de sa représentation caricaturale à la négation de son principe.

Rabelais, Molière, Beaumarchais, Courteline stigmatisent la même parodie de justice, son archaïsme, la médiocrité et la duplicité des gens de robe, ainsi que leur propension à la chicane et à la corruption. Les caricatures de Daumier synthétisent à la perfection tous ces traits qui sont autant de flèches.

Si la satire exprimait une immense désillusion, elle ne remettait pas fondamentalement en cause le système. Ce pas fut franchi chez Pascal, pour lequel la justice n'est qu'apparence. La Fontaine dénonce son caractère inégalitaire, donc inique. Voltaire oppose à ses monstrueuses erreurs et à ses procédés inquisitoriaux la dignité

---

3. E. de Saint-Auban, *La justice sous la IIIe République*, Gallimard, 1931, p. 13.

humaine. Kafka et Camus devaient aller plus loin encore en condamnant l'idée même de justice que Genet assimile à un mirage.

Ce passif culturel constitue pour le magistrat une véritable tunique de Nessus, autrement plus contraignante que la robe qu'il porte.

Le poids de l'histoire

Et vient s'ajouter le poids considérable de l'histoire politique française. Le souvenir déformé des parlements de l'Ancien Régime a influé et continue d'influer sur l'institution judiciaire. Il faut rappeler, à cet égard, le rôle politique capital joué par les parlements, en particulier au cours des deux derniers siècles précédant la chute de la Monarchie.

Au-delà de leur fonction strictement judiciaire d'arbitre dans les intérêts privés, se considérant comme la seule émanation de la représentation nationale, ils entendaient être les gardiens des principes fondamentaux de la Monarchie. Malesherbes, premier président de la Cour des Aides, exprimait cette prétention en 1771 dans une remontrance fameuse: «les Cours sont aujourd'hui les seuls protecteurs des faibles et des malheureux; il n'existe plus depuis longtemps d'Etats Généraux et, dans la plus grande partie du Royaume, point d'Etats Provinciaux: tous les corps, excepté les Cours, sont réduits à une obéissance muette et passive. Aucun particulier dans les Provinces n'oserait s'exposer à la vengeance d'un commandant, d'un commissaire du conseil, et encore moins à celles du ministre de Votre Majesté. Les Cours sont donc les seules à qui il soit encore permis d'élever la voix en faveur du peuple. »

Leur pouvoir face au Roi se manifestait par divers mécanismes: l'enregistrement des Edits et Ordonnances, formalité préalable indispensable à l'exécution des actes de l'Autorité Royale, leur permettait de s'ériger en juge de l'opportunité de la loi. On vit ainsi des parlements refuser d'enregistrer des Edits aggravant les charges fiscales pesant sur le peuple. En cas de refus d'enregistrement, le parlement présentait au Roi des remontrances, exposé critique des Edits qu'il avait refusé d'homologuer et, si le pouvoir royal persévérait, le conflit trouvait sa solution dans «le lit de Justice», procédure qui conduisait le monarque à se rendre au parlement et à faire enregistrer l'Edit sous ses yeux. La transcription devenait alors obligatoire, car, le souverain présent, les juges qui n'étaient que ses délégués se trouvaient dessaisis de tous leurs pouvoirs, la décision appartenant au Roi seul.

Les pouvoirs des parlements ont constitué une gène certaine pour la royauté; ainsi, n'est-il pas étonnant que celle-ci ait cherché à limiter leur influence. Supprimé par Louis XIV en 1673, le droit de remontrance ne fut rétabli qu'en 1715 avec la Régence. Les conflits entre les deux pouvoirs devaient, au cours de XVIIIe siècle, devenir de plus en plus fréquents, de plus en plus vifs, et dégénérer souvent en épreuve de force. En 1753, le Parlement de Paris, lors de la lutte contre le clergé, prit un arrêté en des termes inimaginables aujourd'hui: «Attendu l'incompatibilité où est la Cour de faire parvenir la vérité jusqu'au Trône par les obstacles qu'opposent les gens malintentionnés, elle n'a plus d'autres ressources que dans sa vigilance et son activité continuelle; que pour vaquer à cette fonction indispensable, les chambres demeureront assemblées, tout service cessant, jusqu'à ce qu'il ait plu, au dit Seigneur Roi, d'écouter favorablement les remontrances.» Le conflit devait s'envenimer et conduire à la suspension du Parlement et à l'exil des parlementaires dans la plus pure tradition des romans de cape et d'épée. «Devant pareille désobéissance, le Roi n'hésita pas à recourir à la force: le neuf mai, à trois heures du matin, des mousquetaires se rendirent chez tous les magistrats des chambres des enquêtes et des chambres des requêtes et leur notifièrent les lettres de cachet leur prescrivant de quitter Paris dans les vingt-quatre heures et de se rendre dans les villes qu'on leur désignerait...»[4]

Rétabli dans ses droits et prérogatives au milieu de la liesse populaire, le Parlement de Paris devait entrer de nouveau en conflit avec le pouvoir royal. Celui-ci décida donc d'en finir avec lui. Le Parlement tomba dans le piège que lui avait tendu le Chancelier Maupeou et comme ses membres refusaient massivement de s'incliner devant l'ultimatum qui leur était fait ils furent exilés et leurs postes déclarés vacants. Des Conseils Supérieurs furent créés, chargés des fonctions judiciaires dont le Parlement de Paris, réduit désormais à un rôle modeste, était dessaisi. Ce n'est qu'avec Louis XVI que les institutions appelées par dérision «les parlements Maupeou» disparurent et que le système antérieur fut restauré.

Que la Monarchie ait été affaiblie par cette lutte et que l'action des parlements ait contribué à précipiter sa chute, cela a été souvent avancé et semble incontestable. Le plus surprenant est que le pouvoir républicain, pourtant bénéficiaire de cette lutte, oublia que les parlements avaient joué un rôle capital dans la maturation des idées qui, telles la défense des libertés, la limitation de l'absolutisme

---

4. M. Rousselet, *Histoire de la Magistrature française*, Plon, 1957, T. 2, p. 353.

par le recours à la théorie des droits de la Nation[5], devaient accoucher de la Révolution.

Il ne vit dans leur intervention que l'inacceptable obstruction faite par un pouvoir au Pouvoir. Et lorsqu'il s'est agi de définir les nouvelles structures de la justice, il fit payer cher à celle-ci sa place prééminente sous le régime défunt. Ignorer cette donnée, à la source directe de la conception de la nouvelle organisation judiciaire conduirait à s'interdire d'appréhender en quels termes exacts se posent en France, aujourd'hui encore, les rapports entre le Pouvoir[6] — quelles que soient ses formes successives — et l'institution judiciaire. De fait, dès 1789, l'Etat devait se présenter comme l'unique représentant de l'intérêt général et du bon fonctionnement de la société, et comme l'indispensable condition du bonheur des hommes dont il se faisait l'agent providentiel. La nouvelle théorie de la souveraineté populaire lui permettait d'affirmer avec force cette mission et justifiait son opposition à tous les pouvoirs intermédiaires susceptibles de lui faire obstacle. La grande liquidation des contre-pouvoirs à laquelle la Monarchie avait travaillé était réalisée, même si le bénéfice en revenait à la République.

La justice, désormais en charge des seuls intérêts individuels particuliers, ne pouvait avoir qu'un rôle amoindri dans cette nouvelle philosophie de l'Etat transcendant. Car, ainsi que l'a écrit B. de Jouvenel, «le vocable même d'intérêt particulier est alors devenu et demeuré une manière d'injure, évolution du langage qui reflète, pour peu qu'on y réfléchisse, la perpétuelle mobilisation de l'opinion sociale contre les fractions constituantes de la communauté.[7] L'organisation constitutionnelle nouvelle devait traduire cette abaissement. Si elle faisait du judiciaire le troisième pouvoir, cette reconnaissance se voyait atténuée, voire contredite par de nombreuses dispositions constitutionnelles. En outre, la séparation des pouvoirs apparaissait essentiellement conçue dans un sens défavorable au judiciaire. Enfin, la loi des 16 et 24 août 1790, en faisant défense au juge de s'immiscer dans l'exercice du pouvoir, et de l'administration qui en est son prolongement, laissait leur action en dehors de tout contrôle juridictionnel. L'individu, privé de défenseur, se retrouvait seul face aux entreprises d'un pouvoir réputé infaillible, jusqu'à ce que naisse, bien plus tard, une justice administrative, vivant symbole d'un Pouvoir qui veut échapper au droit commun. B. de Jouvenel le confirme bien: «la pensée politique situe le

---

5. E. Badinter, *Les Remontrances de Malesherbes,* collection 10-18, n° 1268, 1978.

6. Pouvoir (gouvernement — exécutif) par opposition à pouvoir (judiciaire par exemple).

7. B. de Jouvenel, *Du pouvoir,* Hachette, 1975, p. 322.

Pouvoir au-dessus du droit vulgaire... Tout ce qui est du côté de l'Etat peut procéder contre tout ce qui est du côté du peuple sans se rendre justiciable des tribunaux ordinaires. Ceux-ci ne peuvent rien empêcher, rien séparer, rien punir. »[8] Ces prémisses de l'affaiblissement du judiciaire devaient se voir confortés sous tous les régimes successifs qui mirent en œuvre les principes d'organisation définis en l'an VIII. Ceux-ci, en confiant au Pouvoir la nomination ainsi que l'avancement des juges, plaçaient ces premiers sous sa coupe ou tout au moins, rognaient considérablement leur indépendance. L'épuration plus ou moins grande de la magistrature, qui ne manquait pas de survenir à chaque changement de régime, répondait d'ailleurs à l'exigence, formulée très sérieusement en 1883 par Jules Simon, de « faire sortir de la magistrature les magistrats dont les opinions ne sont pas conformes aux nôtres. »[9]

Si d'indéniables progrès statutaires devaient être réalisés, non sans de nombreux avatars, dans le sens d'un renforcement de l'indépendance — ou d'une moindre dépendance — la justice ne devait jamais constituer un véritable pouvoir autrement que sur le plan formel. Aussi, en remplaçant le terme « pouvoir » par celui d'« autorité », le constituant de 1958 ne faisait que mettre un terme à l'hypocrisie qui avait prévalu jusqu'alors; la lettre se trouvait désormais en accord avec les faits.

Le rôle de l'Etat

La croissance du Pouvoir favorisée par la légitimité nouvelle issue de la Révolution et amplifiée par le passage, dès la fin de XIXe siècle, de l'« Etat Gendarme » à l'« Etat Providence », puis par le rôle renforcé de l'exécutif, eut comme autre conséquence de modifier considérablement tant la place du juge dans la société que son mode d'intervention. La prolifération des lois, l'inflation toujours croissante des textes réglementaires, la multiplication des droits autonomes devaient entraîner un déclin du Droit qui ne pouvait manquer de rejaillir sur ceux qui l'appliquent, jusqu'alors guidés par des principes généraux, clairs, peu nombreux, relativement immuables et, à cet égard, contraignants pour le Pouvoir lui-même.

Dès lors que le Droit perd son autonomie pour n'être plus que la traduction très précise d'une volonté politique, comment le juge peut-il éviter de devenir lui-même l'instrument d'une politique, se métamorphosant malgré lui en acteur d'un processus politique? Par

---

8. B. de Jouvenel, précité, *Du pouvoir*, p. 381.
9. Sénat, 20 juillet 1883, p. 938.

le glissement du Droit à la réglementation, l'action judiciaire tend à ne plus se distinguer de l'action politique — et de l'action administrative qui la prolonge — que par des formes et des procédures spécifiques. Elle se trouve englobée dans une rationalité technocratique et administrative qui, à terme, lui ôterait jusqu'à sa raison d'être.

Il est donc urgent que l'Etat s'emploie à mettre fin au déclin du Droit en restaurant la Loi dans son rôle de norme supérieure incontestée. N'a-t-on pas entendu la plus haute autorité du pays évoquer en 1985 «la force injuste de la loi»? C'est pourtant sur le respect de celle-ci que repose tout l'édifice démocratique. A défaut, d'autres modes de régulation des rapports sociaux et individuels se substitueraient à elle. Il est douteux que le citoyen y gagnerait en garantie.

L'évolution du rôle de l'exécutif s'est également traduite par une modification importante du concept même de liberté dans la pensée moderne. Le juge judiciaire était traditionnellement chargé de régler les litiges d'intérêt privé et investi d'une mission de protection des libertés à fondement individualiste. Il avait, par conséquent, pour mission essentielle de protéger l'individu des abus que l'Etat pouvait commettre contre sa personne et ses biens. Mais l'apparition de nouvelles libertés à finalité économique et sociale a conduit le citoyen à solliciter de plus en plus l'Etat dont les ingérences multiples ont tantôt entraîné l'éviction du juge, tantôt placé celui-ci dans la position d'exécutant de l'action administrative. Ces ingérences étatiques ont aussi réduit le domaine de la liberté traditionnelle, ce qui peut expliquer que «notre société n'a pas du respect des libertés individuelles une conception bien exigeante.»[10]

Les phénomènes conjoncturels

A ces données permanentes, qui remettaient en cause le rôle de l'institution judiciaire, se sont joints des phénomènes conjoncturels plus récents qui ont précipité la crise.

---

10. J.D. Bredin et R. Badinter, in *La justice en question*, Cahiers de la NEF, janvier-mars 1970, p. 47.

La crise des valeurs

Si l'on s'accorde avec Auguste Comte pour penser qu'aucune société ne peut subsister sans le respect unanime accordé à certaines notions fondamentales, force est de constater que notre société traverse une crise profonde des valeurs, aboutissement d'un processus long et complexe. Les événements de mai 1968 n'en ont été que le révélateur et ils demeurent encore mystérieux à beaucoup d'égards. Les explications possibles de leurs causes sont multiples et enchevêtrées: Malraux, après Sprengler et Toynbee, y voit l'indice d'une fin de civilisation découlant de la perte par la société occidentale du consensus religieux et des croyances collectives transcendantes qui la cimentaient. Raymond Aron, quant à lui, retient des explications tantôt biologiques, tenant au refoulement des pulsions agressives dans une vie collective pacifiée, tantôt sociologiques, découlant de la perte de modèles et de croyances[11]. Quoi qu'il en soit, les conséquences de cette crise sont tangibles. Les plus profondes se traduisent par une déliquescence des valeurs qui recueillaient jusqu'alors une adhésion relativement large et ancienne du corps social; la moralité, le sens religieux, l'autorité s'estompaient fortement, plus d'ailleurs qu'ils n'étaient remis en cause. Par contrecoup, toutes les institutions dont le prestige et la force reposaient sur ces valeurs se trouvaient déstabilisées et en crise, ce phénomène étant d'autant plus accentué dans la justice que son intervention est fortement imprégnée de morale traditionnelle. La justice, jusqu'alors sacralisée, se trouva démythifiée. Cette évolution, bénéfique dans un certain sens, mettait fin à l'infaillibilité de l'institution et déboulonnait le «Juge-Dieu» du piédestal où les siècles l'avaient placé. Mais la remise en cause de sa valeur transcendantale sépara l'institution judiciaire de son idéal philosophique. Elle fut de ce fait reléguée dans un rôle contingent et subordonné.

L'irruption du politique

Par ailleurs, la contestation de la société en s'identifiant à la lutte politique engendra non plus la critique de la loi, mais sa remise en cause. La justice se trouvait alors, par ricochet, investie de l'intérieur par la politique. L'irruption du Syndicat de la Magistrature dans la vie judiciaire illustra parfaitement ce phénonème. Né dans le grand vent de 1968, il s'attribua pour premier mérite «d'avoir brisé le silence, d'avoir pris la parole»[12] et fit de la suppression de la hiérarchie,

---

11. R. Aron, *La révolution introuvable*, Fayard, 1968, p. 47.
12. et 13. Syndicat de la magistrature, *Au nom du peuple français*, Lutter/Stock 2, 1974.

manifestation la plus tangible de l'autorité, une de ses premières revendications. Son action cependant, se politisa rapidement, la justice étant alors considérée comme un terrain parmi d'autres des luttes politiques conçues très nettement dans une perspective de lutte des classes. «Le corps était entièrement dépolitisé, tout était à faire»[13]. Le résultat en fut, pour un temps du moins, que le consensus alors général dans le corps judiciaire sur le rôle du juge, ses méthodes, son éthique professionnelle, fut entamé, laissant place à des luttes idéologiques et à des divisions internes, que le pouvoir ne manqua pas d'exploiter habilement. Devenue un enjeu politique, la justice devait voir sa crédibilité entamée. Dès lors, on aurait pu penser que cette situation entraînerait une défection importante à son égard. La réalité allait être tout autre et ce ne fut pas le moindre paradoxe que de voir le citoyen recourir de plus en plus à une institution sur laquelle il portait un jugement de plus en plus critique. La crise économique que la France connaît depuis 1973 explique en grande partie cette apparente contradiction: plus la crise est profonde et durable, plus ses effets se révèlent dévastateurs en matière d'emploi et de survie des entreprises et plus le législateur se doit d'intervenir pour tenter d'en atténuer les conséquences économiques et sociales, faisant très souvent du recours au juge la solution obligée; «la justice est au cœur de la crise sociale, dans un monde de plus en plus inquiet de son avenir.»[14] Ainsi, s'explique la véritable «explosion» du contentieux social depuis quelques années, comme l'intervention accrue de la justice consulaire et prud'homale. La dégradation de la situation économique et sociale eut également pour effet d'accentuer considérablement la montée de la criminalité. Le traitement de la délinquance dans le contexte actuel se trouvait singulièrement compliqué par le sentiment d'insécurité qui se développait et l'irruption du terrorisme modifiait considérablement les données du problème, posant un véritable défi à la société démocratique.

Résultat inattendu de tous ces phénomènes cumulés: la justice finit par devenir le bouc émissaire privilégié d'une société en crise. Sans nier la marge d'appréciation dont dispose le juge, n'y-a-t-il pas quelque inconséquence à lui imputer les condamnations, les licenciements et les faillites sous le prétexte qu'il les prononce? Viendra un jour où il faudra bien se décider à ne voir dans la justice que le miroir

---

14. P. Arpaillange, *La simple justice*, Julliard, 1980, p. 55.

dans lequel la société se reflète, mais «il est plus facile de maudire son miroir que de changer ses traits!»[15].

Une note d'espoir

Cette crise que traverse l'institution judiciaire ne donne-t-elle pas l'occasion de repenser ses structures comme son fonctionnement et de les adapter à la société actuelle?

La réalité fondamentale de la justice française depuis deux siècles ne cesse de démentir les discours et les promesses: c'est une institution vouée à la pénurie dont la part dans le budget de l'Etat a longtemps été inférieure à 1% et avoisine à peine ce chiffre aujourd'hui[16]; c'est aussi un corps soumis au contrôle étroit du pouvoir à travers des mécanismes aussi variés que subtils. Curieuse attitude de l'Etat qui n'intervient pas suffisamment où il le devrait et s'immisce, dans le même temps, dans ce qui, par définition, devrait lui échapper!

Toutefois, parce que la justice est inséparable de la société qui l'a faite, le réalisme conduit à admettre que toute rénovation de l'intérieur de l'institution, aussi ambitieuse soit-elle, connaîtra bien vite des limites, dès lors qu'elle ne trouvera pas dans le corps social les bases philosophiques solides qui lui manquent aujourd'hui.

---

15. J.D. Bredin et R. Badinter, in *La justice en question*, Cahiers de la NEF, janvier-mars 1970, p. 49.

16. 1,17% dans le budget 1986.

17. L'Union Fédérale des Magistrats, *Au service de la pensée judiciaire*, Imprimerie administrative de Melun, 1971, p. 129.

PREMIERE PARTIE

La justice face à elle-même: une institution en crise

La justice française, faute de cadre institutionnel adapté, se trouve dans un état de dépendance à l'égard de l'exécutif. Par ailleurs, elle reste miséreuse malgré les marques de considération appuyées des pouvoirs publics successifs.

Ces facteurs de faiblesse endémique se trouvent aggravés depuis une quinzaine d'années par l'existence de forces centrifuges au sein de la magistrature. Investie par la politique, la justice déchirée apparaît plus vulnérable encore.

Une justice dépendante

«L'organisation judiciaire, sous aucun des régimes qui se sont succédés chez nous n'a vu consacrer autrement que par un verbalisme honorifique son autonomie interne. »

Raymond Charles

Depuis 1789, l'indépendance de la justice est inlassablement proclamée par les pouvoirs qui se sont succédés. Pourtant ce «verbalisme honorifique» ne fait que masquer sa transgression constante. Maurice Duverger l'écrit avec raison: «depuis Napoléon, la France n'a jamais connu de magistrature indépendante. Tous les régimes successifs ont un point commun, ils n'ont pas voulu que le pouvoir judiciaire en soit un, ils se sont attachés à obtenir l'obéissance des juges... Une tradition s'est ainsi créée, un état d'esprit s'est développé, qui ont peu à peu marqué la fonction. Nos juges sont honnêtes mais ils sont dépendants»[1]. On retrouve le même constat sous la signature de MM. Badinter et Bredin qui écrivaient, en 1970: «il n'est pas besoin d'une grande information pour vérifier qu'en fait l'indépendance de la justice n'a jamais sérieusement préoccupé l'Etat, et qu'au contraire les pouvoirs successifs se sont ingéniés à la réduire sinon à la détruire chaque fois qu'elle les gênait»[1].

La perpétuation d'un tel phénomène depuis près de deux siècles, malgré les bouleversements constitutionnels considérables de notre pays, ne laisse pas d'étonner, surtout si l'on considère que même l'instauration de la démocratie ne s'est traduite par aucun progrès sensible sur ce plan. Aussi, doit-il exister des causes bien puissantes qui commandent un tel immobilisme dans un monde par ailleurs si changeant!

Le prétexte historique: l'épouvantail des Parlements

«On voudrait revenir par dessus deux siècles d'institution démocratique au pouvoir fantasque et incontrôlé des parlements d'Ancien Régime». Cette déclaration faite par le Garde des Sceaux, en

---

1. Cité par J.L. Ropers, in *Au service de la pensée judiciaire,* p. 33.
2. In *La justice en question,* Cahiers de la NEF, janvier-mars 1970, p. 44.

1980[3] montre à l'évidence le poids de l'histoire sur l'institution judiciaire actuelle. La justice, lors des bouleversements révolutionnaires, a été marquée, de façon indélébile, du sceau de la méfiance de l'Etat envers une institution qui, non contrôlée, risquait de le défier dans l'avenir comme elle l'avait fait dans le passé. La République, en cela héritière de la Monarchie, n'oubliait pas que les parlements, en s'opposant au Pouvoir Royal, avaient contribué de façon déterminante à sa chute. Hantés par la crainte que les juges ne viennent entraver la mise en application des idées nouvelles, les révolutionnaires firent en sorte, selon le mot de Thouret, Président de l'Assemblée Constituante, «d'éviter tout ce qui pourrait ou les rendre puissants ou leur inspirer cette présomption». Les lois des 16 et 24 août 1790, en interdisant aux tribunaux, sous peine de forfaiture, de prendre directement ou indirectement part à l'exercice du pouvoir législatif et de troubler de quelque manière que ce soit, les opérations des corps administratifs, consacrèrent cette préoccupation.

Pourtant, l'épouvantail des parlements toujours prêts à renaître de leurs cendres, agité par les gouvernants, même s'il répondait à un souvenir d'autant plus vivace qu'il était encore présent dans tous les esprits, ne reposait pas sur des bases sérieuses. Ce n'est que par leurs prérogatives politiques — enregistrement des ordonnances, lettres de remontrances — que les Compagnies Judiciaires avaient constitué, sous l'Ancien Régime, un véritable contre-pouvoir, leur rôle purement judiciaire n'étant lui, jamais remis en question. Or, à la Révolution, les tribunaux sont privés de tout pouvoir politique pour se voir confinés dans un rôle juridictionnel, limité de surcroît aux conflits privés puisque ceux concernant l'administration leur échappent[4]. La justice nouvelle, radicalement différente de la précédente quant à sa place dans l'Etat et quant à ses attributions, ne pouvait en rien représenter la menace agitée par le Pouvoir.

L'alibi doctrinal: un juge illégitime

Pour justifier son comportement hégémonique envers l'institution judiciaire, le Pouvoir en appelle aussi au principe de la *souveraineté nationale*, consacré en 1789, et suivant lequel la souveraineté, jadis exercée par le roi, l'est aujourd'hui par le

---

3. A. Peyrefitte, *Le Nouvel Observateur,* 19 mai 1980.
4. A. de Tocqueville, *De la démocratie en Amérique,* Garnier-Flammarion, 1981, volume 2, pp. 374 et 375.

peuple, personnifié dans la Nation. Et, se présentant comme le mandataire de la Nation, par l'élection, il dénie à tout pouvoir qui ne procède pas de la même voie, le droit de revendiquer une autonomie totale de fonctionnement. La justice, qui ne bénéficie pas d'une délégation directe de souveraineté, se trouverait ainsi sans fondement solide, susceptible d'asseoir, sinon son indépendance, du moins son autonomie. Le recours à ce principe aurait eu une certaine force si le Pouvoir ne s'était pas empressé de mettre fin à l'élection des juges qui avait été prévue dans la Constitution du 3 septembre 1791, sous le prétexte que «même limité dans sa portée, le système de l'élection comportait des risques, parce qu'il pouvait, dès sa mise en œuvre, introduire dans un processus révolutionnaire n'ayant pas encore atteint un caractère d'irréversibilité, des éléments de blocage et de résistance non négligeables[5].»

L'élection des juges fut réclamée plus tard, notamment par Clémenceau selon lequel «s'il est entendu que tout pouvoir résulte d'une délégation de souveraineté, celle-ci doit être rendue aussi immédiate que possible, sinon, de mandataire en mandataire, elle risque d'être dénaturée et de trahir la volonté de ceux qui lui ont confié le mandat». Mais aucune proposition de loi déposée en ce sens, ne fut adoptée. Ceci démontre le caractère factice du débat sur la légitimité du juge.

Le dessein: une justice subordonnée

En fait, dès l'époque révolutionnaire, le Pouvoir ne put concevoir que le droit, et la justice qui l'applique, ne soient autre chose que les instruments fidèles de la réalisation de ses projets considérés comme transcendants. Et l'un et l'autre étaient voués aux gémonies dès lors qu'ils apparaissaient comme un frein ou une gêne. C'est, à un degré moindre, cette même rationnalité qui, en 1981, fit craindre à certains magistrats acquis à la gauche que l'institution judiciaire ne vienne hypothéquer toute possibilité de passage au socialisme en résistant à ce qui pourrait mettre en cause l'ordre ancien[6]. Ceci explique aussi que le pouvoir judiciaire «n'a jamais été considéré en France comme formant un corps autonome égal en importance au parlement et au gouvernement... Des précautions ont toujours été prises pour qu'il ne devienne pas

---

5. G. Masson, *Les juges et le pouvoir*, Moreau-Syros, 1977, p. 27.
6. In *Les juges et le pouvoir*, p. 23, préface Charvet.

une puissance trop forte, susceptible de faire réellement contrepoids aux organes politiques fondamentaux»[7]. La notion même de pouvoir judiciaire a souvent été niée. C'est ainsi, qu'un garde des Sceaux, Monsieur Lecourt, déclarait en 1946: «la justice n'est pas un pouvoir, car il n'y a qu'un seul pouvoir, elle est fonction séparée du pouvoir, une fonction séparée des autres, mais partie intégrante de l'Etat». Ce faisant, le ministre ne faisait que réaffirmer, sous une variante, une doctrine exprimée dès la fondation de la République et en vertu de laquelle «dans toute société politique, il n'y a que deux pouvoirs: celui qui fait la loi et celui qui la fait exécuter. Le pouvoir judiciaire, quoi qu'en aient dit les publicistes, n'est qu'une simple fonction puisqu'il consiste dans l'application pure et simple de la loi. L'application de la loi est une dépendance de l'exécutif»[8].

Le constituant de 1958, en faisant du judiciaire une «autorité» dans l'Etat, a mis fin au débat théorique sur la légitimité du juge.

L'indépendance du juge: une nécessité impérieuse

Mais, ne fut-elle qu'une autorité, la justice doit jouir d'une indépendance totale à l'égard du Pouvoir. Chargée de défendre les libertés individuelles, d'assurer l'égalité des citoyens devant la loi et de les garantir contre les groupes de pression et les agents de l'Etat excédant leurs pouvoirs, elle ne peut qu'être séparée du Pouvoir. C'est une telle idée que défendait Jean Louis Ropers, président de l'Union Fédérale des Magistrats, lorsqu'il analysait la justice comme un service public spécifique[9]. C'est la même approche qui faisait dire à Madame Questiaux que «si l'indépendance des agents qui assurent ce service est recherchée, c'est parce qu'elle est la condition du bon fonctionnement du service... Le juge traite du conflit, c'est-à-dire que son intervention se situe à la frange de la vie collective où les règles ne sont plus acceptées... Parce que le problème posé est pathologique, on veut de lui l'indépendance du médecin. Parce qu'il y a différend, on a recours à l'autorité morale de Saint Louis sous son chêne... Le personnage est lourd à porter et cet homme faillible auquel est confiée la fonction de juger doit trouver dans son statut personnel les conditions de cette indépendance»[10].

---

7. Chatelain, La nouvelle Constitution, *cité par Ropers, in Au service de la pensée judiciaire*, p. 32.

8. Cazalès, Assemblée Constituante, 5 mai 1790.

9. In *Au service de la pensée judiciaire*, p. 17.

10. Institut d'Etudes Politiques de Strasbourg, *Justice et Politique, colloque*, Presses Universitaires d'Alsace, 1974, p. 19.

Dans un article du journal *Le Monde,* daté du 11 janvier 1979, Alain Peyrefitte, alors Ministre de la Justice, après avoir insisté sur le fait que l'indépendance de l'autorité judiciaire est garantie par la Constitution et la loi, ajoutait: «Il est vrai que si les textes garantissent l'indépendance, seuls les hommes peuvent l'exercer. L'indépendance des juges n'est pas secrétée automatiquement par l'inamovibilité. Elle existe quand elle est voulue. On ne peut forcer un homme à être libre; on ne peut que lui donner les moyens de sa liberté.» Mais, le juge dispose-t-il dans la réalité des moyens de son indépendance?

A s'en tenir à l'apparence des choses, tout est fait pour rassurer: les magistrats du siège ne sont-ils pas inamovibles, leur indépendance garantie par la Constitution, leur avancement soumis au respect de règles impératives? L'autre côté du miroir offre un singulier contraste: toute notre histoire lointaine ou récente nous révèle l'incohérence et la faiblesse de nos structures judiciaires qui ont permis aux pouvoirs successifs de contrôler la justice. Le système judiciaire actuel, issu de la Constitution du 4 octobre 1958 n'échappe pas à la règle. Pourtant, il faut souligner que la démarche du constituant de la Ve République, faisant du président de la République le garant de l'indépendance de l'autorité judiciaire, et par conséquent la pierre angulaire de notre justice, se concevait parfaitement dans l'épure de 1958, dans la mesure où le chef de l'Etat jouait essentiellement un rôle d'arbitre entre les organes constitutionnels. Mais l'évolution de la fonction présidentielle, liée à l'élection au suffrage universel direct et à la pratique constitutionnelle qui a conduit le président à jouer un rôle actif dans la conduite des affaires politiques, aurait dû entraîner une modification corrélative du schéma d'origine de l'organisation judiciaire. Il devenait, en effet, difficile, voire impossible pour un chef d'Etat devenu chef de file d'un courant et d'une majorité politiques, de rester l'arbitre impartial et de protéger la justice contre les empiètements d'un pouvoir qu'elle peut gêner et dont il est responsable. Une réforme de la Constitution s'imposait donc. Mais aucun projet n'a été déposé en ce sens, ni par Georges Pompidou, ni par Valéry Giscard d'Estaing, ni par François Mitterrand.

Une autorité malmenée

Dès lors, il ne faut plus s'étonner que nombre d'ingérences d'hommes politiques ou d'organisations diverses, dans l'exercice de la justice, n'aient été ni dénoncées, ni sanctionnées.

Un ministre en exercice, Monsieur Tomasini, n'hésita pas à traiter les magistrats de lâches; impunément, puisque une tiède et hypocrite rétractation de sa part vint clore l'incident.

En 1976, à l'occasion de l'affaire de Broglie, Monsieur Ponia-
tovski, ministre de l'Intérieur, annonça au cours d'une conférence
de presse, sans gêne apparente, qu'il ferait connaître lui-même
les résultats de l'enquête sur l'assassinat de l'ancien ministre, alors
qu'une information judiciaire était ouverte et confiée à un juge
d'instruction. Quelques temps après éclatait l'affaire des écoutes
du «Canard Enchaîné» et le même ministre de l'Intérieur n'hésita pas à interdire aux policiers de déférer aux convocations du
juge d'instruction, comportement inouï fondé sur le prétexte du...
secret de la défense nationale.

La leçon n'a pas été perdue. Ainsi, plus récemment, c'est
l'invraisemblable «affaire Patault»; dans la nuit du 7 au 8 mars
1983, entre les deux tours des élections municipales de Marseille,
une voiture explosait rue du Dragon, près de la grande synago-
gue. Les deux occupants du véhicule étaient tués. Une information judiciaire était ouverte dès le 8 mars. Mais, au mépris des
dispositions du Code de Procédure Pénale réservant au seul
Procureur de la République le pouvoir de fournir à la presse des
informations sur l'affaire par un communiqué écrit, M. Patault fit
plusieurs déclarations dans lesquelles il mettait en cause des
politiciens de droite. Assigné en justice par M. Gaudin, qui conduisait les listes de droite, il fut condamné à une amende et à des
dommages intérêts sur le fondement de l'article 97 du Code
électoral.

Les moyens de contrôle: la carrière

Mais plus que cette confusion des genres et des rôles, le trait le
plus marquant de l'organisation judiciaire française réside dans la
carrière du juge entièrement placée entre les mains de l'exécutif.
Or, «tenir en main l'avancement des magistrats, c'est exercer un
contrôle indirect mais ferme sur la façon dont la justice est rendue;
c'est que ne pouvant lui dicter la décision, le pouvoir politique
entend disposer de son avenir et l'astreindre ainsi à une prudente
réserve».[11] A. de Tocqueville avait déjà fait ce constat lorsqu'il
écrivait du juge «qu'importe qu'on ne puisse le contraindre si on a
mille moyens de le séduire». Ces moyens qui vont se cacher
jusque dans les remises de décorations, découlent pour l'essentiel
des règles qui président à l'organisation de la hiérarchie judiciaire:
à deux grades divisés chacun en deux groupes et coiffés par des
postes «hors hiérarchie» correspondent des différences substantiel-
les de rémunérations. Dans un tel cadre, chacun à la base, aspire

---

11. J.L. Ropers, in *Au service de la pensée judiciaire*, p. 17.

tout naturellement à s'élever. Certes, la procédure qui veut que nul ne puisse être promu à un poste plus élevé sans avoir été préalablement inscrit sur une liste d'aptitude ou un tableau d'avancement, est extrêmement importante. Son instauration en 1906 avait constitué un progrès en ouvrant une brèche dans les pouvoirs jusqu'alors illimités du garde des Sceaux en la matière. Mais la déception est grande lorsque l'on sait que l'inscription au tableau ou à la liste n'implique pas la réalisation de l'avancement. Et, si l'autorité gouvernementale refuse de nommer le magistrat en avancement, celui-ci peut attendre indéfiniment sans recours possible.

Plus décevante encore est l'intervention du Conseil supérieur de la magistrature dans le processus des nominations des magistrats du siège[12]. Cet organisme est chargé de *faire des propositions* pour les nominations des plus hauts magistrats du siège (Premier Président de Cour d'appel — conseiller à la Cour de Cassation) *et de donner son avis* sur les propositions du ministre de la justice relatives aux autres. Il est présidé par le président de la République et comprend neuf membres, tous désignés par lui. Apparaissant de ce fait comme l'émanation du pouvoir politique, il se trouve nécessairement voué à la suspicion du corps judiciaire et de l'opinion et cela quelle que soit la valeur des hommes et des femmes qui le composent[13].

Mais le processus des nominations soumises à l'avis du CSM démontre en outre le caractère illusoire des textes statutaires. Ceux-ci masquent parfaitement l'emprise du pouvoir politique sur la justice par le choix des juges: «la gestion de la magistrature s'opère dans le secret toujours, le mépris souvent» déclare le syndicat de la magistrature[14]. En fait, ce sont les services judiciaires[15], c'est-à-dire une direction du ministère de la justice, qui préparent les projets de mouvements, qu'il s'agisse des mutations à égalité ou des nominations en avancement.

Le projet de mouvement ainsi établi, essentiellement sur des critères techniques, est remis au cabinet du garde des Sceaux et au secrétariat du Conseil supérieur de la magistrature. Puis, une réunion est organisée entre le représentant des services judiciaires, le représentant du cabinet du ministre et le secrétaire du Conseil supérieur; ce dernier n'intervient ici nullement au nom de cet

---

12. Les juges du siège prononcent les jugements. (Les magistrats du parquet sont le procureur de la République et ses substituts).

13. «Le juge et la politique», *Le Pouvoir Judiciaire,* mars 1972.

14. Syndicat de la Magistrature, *Justice sous influence,* Maspero, 1981.

15. Le directeur et le sous directeur des services judiciaires sont placés sous l'autorité directe du garde des Sceaux qui peut les révoquer ad nutum.

organisme mais comme représentant du président de la République qui l'a d'ailleurs nommé à cette fonction. La nouvelle liste qui ressort de ces discussions est communiquée officieusement au conseiller technique de Matignon pour les affaires judiciaires. S'instaure alors une nouvelle concertation à un niveau politique, sans même que soient consultés les services judiciaires. Au terme de ces tractations intervient, pour les magistrats du siège, le Conseil supérieur de la magistrature jusqu'alors soigneusement tenu à l'écart. Le ministre lui propose, pour avis, la liste définitive des candidats retenus, un seul nom étant proposé pour chaque poste à pourvoir. [16]

Ainsi, le Conseil supérieur, qui devrait être la pièce maîtresse de l'organisation judiciaire, se voit-il privé de la possibilité d'exercer la plénitude de ses attributions; son influence se trouve fort réduite, même dans les domaines où il devrait avoir l'initiative, c'est-à-dire pour les nominations aux fonctions les plus élevées du siège.

Ces différentes lacunes finissent par atténuer la portée d'une règle aussi essentielle à l'indépendance du juge que celle de l'inamovibilité des magistrats qui veut que ceux-ci ne puissent recevoir, sans leur consentement, une affectation nouvelle même en avancement. Car l'inamovibilité peut devenir un piège pour le juge lorsque l'avancement dépend du pouvoir.

Par ailleurs, son domaine trop limité, puisque seuls les magistrats du siège — par opposition à ceux du parquet — peuvent s'en prévaloir, accentue la différenciation au sein du corps judiciaire, entre ses deux constituants pourtant intimement liés. Le système italien, issu de la constitution de 1947 évite cet écueil: après avoir posé le principe suivant lequel «La magistrature constitue un ordre autonome indépendant de tout pouvoir» (art. 104), il prévoit que «les magistrats sont inamovibles et ne se distinguent entre eux que par la diversité de leurs fonctions» (art. 107). L'unité du corps judiciaire se trouve ainsi sauvegardée.

Il ne faut pas s'étonner de l'absence de progrès essentiels pour remédier à la situation de dépendance que chacun s'accordera à reconnaître, ni de la lenteur avec laquelle certaines améliorations ont pu être acquises. Le pouvoir politique continue d'assurer son contrôle sur la justice en usant de mécanismes qui le favorisent, tout en étant trop subtils pour paraître constituer une violation des grands principes.

---

16. Les magistrats du siège sont nommés par décret du président de la République sur proposition ou après avis du Conseil supérieur de la magistrature suivant les cas. Les magistrats du parquet sont également nommés par décret du président de la République mais sur proposition du seul garde des Sceaux.

La IVe République: Une parenthèse «aberrante» vite fermée

Le système instauré par la IVe République devait constituer une parenthèse remarquable, même si le pouvoir qui l'avait mis en place s'était vite efforcé de le limiter jusqu'à le réduire à une caricature. Cet épisode dans l'histoire de notre organisation judiciaire est suffisamment aberrant, au sens éthymologique du terme, pour mériter quelques explications: le constituant de 1946, justement traumatisé par le spectacle navrant qu'avait donné pendant la guerre une institution judiciaire asservie à un pouvoir tyrannique, et dont une partie s'était faite l'auxiliaire de la politique de collaboration, avait entendu lui donner les moyens d'être à l'avenir soustraite à cette dégradante tutelle. Adoptant des solutions propres à éviter que la justice ne trahisse sa mission en étant réduite au rôle d'instrument de la politique gouvernementale, la Constitution entendait également la placer sous le contrôle des représentants du peuple à l'Assemblée Nationale. «Il s'agissait là d'une rupture avec une longue tradition qui faisait du judiciaire une fonction subordonnée, à peine distincte de la fonction administrative»[17]. C'est dans cette optique que le Conseil supérieur de la magistrature — composé, outre du président de la République, du Garde des Sceaux, vice-président, de membres élus par l'Assemblée nationale, d'autres par les magistrats, d'autres enfin, choisis par le président de la République en raison de leurs compétences — devenait la pièce maîtresse du statut constitutionnel de la justice et l'instrument de son indépendance à l'égard du gouvernement. Conçu comme l'organe unique de gestion de la carrière des magistrats, il se voyait confier le soin d'assurer l'administration des tribunaux, au détriment du ministre. En procédant à son installation, le 28 mars 1947, le président Vincent Auriol soulignait l'importance du rôle que le constituant avait assigné au conseil supérieur de la magistrature «indépendant du pouvoir politique, soustrait aux influences partisanes ou corporatives... pour une fois, la séparation des pouvoirs cessera d'être une fiction constitutionnelle.»

Les magistrats avaient alors exprimé un certain scepticisme, en raison notamment du risque de voir passer le judiciaire de la coupe de l'exécutif à celle du législatif. Pourtant, l'on assista à une véritable prise de conscience par le Conseil Supérieur des possibilités qui s'offraient à lui de modifier profondément les pratiques

---

17. G. Burdeau, *Revue Française de sciences politiques*, Fondation nationale des sciences politiques, 1946, pp. 56 et suivantes.

antérieures, tout en restant véritablement au-dessus des partis; dans ce processus, le rôle du président Vincent Auriol fut déterminant.

Malheureusement, faute de définition légale des compétences respectives du Conseil supérieur de la magistrature et du ministre de la Justice, il était inévitable qu'un conflit s'élevât entre l'un et l'autre. Au terme de cette lutte, on vit l'exécutif reprendre d'une main ce qu'il avait abandonné de l'autre. Dès 1947, le garde des Sceaux André Marie s'opposa à la requête du conseil supérieur tendant à ce que les services chargés des projets de mouvements, jusqu'alors sous l'autorité du ministre, lui soient transférés et placés sous son contrôle. Quelques années plus tard, un autre garde des Sceaux, M. Lecourt, s'opposa à ce que les projets de réforme de l'appareil judiciaire, mis au point par le Conseil supérieur, puissent être examinés par le conseil des ministres, revendiquant pour son Département Ministériel la compétence exclusive dans l'élaboration de la loi. Quant à l'administration des tribunaux par le Conseil supérieur, qui supposait une sérieuse amputation des pouvoirs du ministre de la justice, elle resta lettre morte, toutes les prétentions du conseil sur ce point étant systématiquement battues en brèche.

Enfin, le gouvernement exprima sa détermination de voir maintenu son contrôle sur les nominations et obtint satisfaction à cet égard. Il exigea, ce qui n'avait certainement pas été voulu par le constituant, que chacun des actes du président de la République pris en exécution des décisions du Conseil Supérieur, soit soumis au contreseing du président du conseil et des ministres intéressés. Ce qui permettait à ces autorités d'exercer un contrôle politique sur l'activité du Conseil supérieur.

Par suite du refus obstiné des ministres successifs de lui donner les moyens de s'acquitter de sa mission, on assista à un abaissement progressif de cet organisme. Il finit par perdre peu à peu ses velléités d'indépendance et se résigna à n'être qu'une autorité administrative comme les autres. Aussi, Robert Schumann, garde des Sceaux, pouvait dire en 1955, au congrès de l'Union Fédérale des Magistrats, en ne risquant pas d'être contredit, «qu'aucun conflit, aucun discours n'affectent les relations du conseil supérieur et du Garde des Sceaux»[18].

Le Gouvernement, dans son entreprise d'abaissement du Conseil supérieur dont il prenait ombrage, trouva un allié inattendu place du Palais Royal: le Conseil d'Etat, s'arrogeant de la

18. *Le Pouvoir Judiciaire*, juin 1955.

façon la plus contestable le pouvoir de connaître des différends relatifs aux décisions du Conseil supérieur, qualifiées de simples actes administratifs et, refusant par là-même de reconnaître son autonomie constitutionnelle pourtant indiscutable, atteignit son autorité morale. Le plus étonnant, sans doute, furent la résignation et la timidité qu'offraient les juridictions judiciaires à ce qui n'était rien d'autre que la traduction de l'impérialisme juridictionnel du Conseil d'Etat.

Sans doute l'erreur du constituant avait-elle été de ne pas aller au bout de la logique du système qu'il avait instauré et qui aurait dû entraîner la suppression du ministère de la Justice, tant il est vrai que «le peuple français ne croira à la justice rendue en son nom que lorsque le gouvernement ne s'en occupera plus. Entre justice et politique l'antinomie apparaît en effet trop forte pour que soient maintenus au profit du gouvernement français des pouvoirs qui paraissent exorbitants lorsqu'on les compare à ceux des autres gouvernements des démocraties occidentales»[19].

Cette réforme radicale, passant par un conseil supérieur rénové, doté de moyens de son indépendance figurait dans les 110 propositions du candidat Mitterrand: elle n'a pas vu, à ce jour, le début d'un commencement d'exécution. Mais cet immobilisme n'a rien d'étonnant; un pouvoir, quel qu'il soit ne concédera une réforme sur ce point que lorsque l'opinion aura suffisamment compris la nécessité de l'indépendance de la justice pour la réclamer. Il sera alors possible de s'inspirer du système français de 1946 ou de ceux existant dans des pays voisins, notamment l'Italie, qui confère à un conseil supérieur le pouvoir de délibérer sur toutes les mesures concernant les magistrats, de leur recrutement jusqu'à la fin de leur appartenance à l'ordre judiciaire, avec un minimum d'interventions de l'exécutif.

L'exécution des décisions de justice: l'administration juge

Mais il ne suffit pas à l'exécutif d'intervenir dans le processus de la décision judiciaire en contrôlant la magistrature, il se reconnaît aussi le droit, s'il le veut, d'en paralyser les effets. En effet, une décision judiciaire, revêtue de la formule exécutoire, peut rester lettre morte si l'autorité administrative, investie de la disposition de la force publique, diffère l'exécution forcée, voire la refuse sous le prétexte qu'elle risquerait de troubler gravement l'ordre et la

---

19. F. Luchaire, «Faut-il supprimer le ministre de la Justice», *Le Monde*, 6 nov. 1979.

sécurité publics. Si un tel principe, cantonné dans d'étroites limites, se justifie parfois, il devient contestable dès lors qu'il conduit à faire de l'exception la règle[20].

L'administration, par ce biais de l'exécution, contrôle l'activité de la justice en se livrant pour chaque cas qui lui est soumis à un véritable examen des faits, à une appréciation «des situations individuelles, parfois très dignes d'intérêt, mais qui s'affrontent avec d'autres situations également dignes d'intérêt... Le principe de la séparation des pouvoirs (l'exécutif étant le seul détenteur de la force armée) aboutit ici à la confusion des pouvoirs»[21]. Ainsi, au nom de l'ordre public, le pouvoir administratif peut-il paralyser une situation individuelle dont l'ordre judiciaire est, de par sa mission constitutionnelle, le seul juge; plus encore on a vu l'administration, lors de l'exécution, ne pas hésiter à modifier les effets de la décision judiciaire ou même lui donner une solution contraire à celle de la décision judiciaire.

Certes, le justiciable pourra avoir recours au juge administratif pour obtenir réparation du préjudice découlant de l'inexécution de la décision rendue en sa faveur. Mais, le plus souvent, l'indemnité sera l'aboutissement d'une procédure longue et sinueuse. Autre conséquence de cette situation: l'autorité de la justice se trouve affectée car ainsi que l'a écrit le professeur Liet Vaux: «qu'y a-t-il de plus attentatoire à la liberté individuelle que la privation de la sécurité résultant de l'autorité des jugements?»

Là encore, une réforme apparaît indispensable. Sa réalisation serait aisée; elle pourrait consister à reconnaître à l'autorité judiciaire, à l'instar de ce qui se passe aux Etats-Unis et en Italie, «le droit d'engager d'office la responsabilité personnelle de tout agent public qui, ayant le devoir d'exécuter une décision de justice, ne l'accomplit pas, même si son abstention lui est commandée par ses supérieurs»[22]. On pourrait également imaginer la création d'un organisme d'arbitrage, compétent pour juger du bien fondé d'un refus d'exécution et suffisamment indépendant de la justice et de l'administration pour ne pas être systématiquement favorable à l'une ou à l'autre. Il n'est pas interdit d'imaginer que cet organisme puisse, par son statut et par la qualité de ses membres, procéder du pouvoir législatif; ceci présenterait l'avantage de faire descendre ce dernier dans la vie concrète du citoyen et dans la sauvegarde de ses intérêts les plus quotidiens.

---

20. et 21. Cf. G. Galbairac, «L'exécution des décisions de justice», *Dalloz*, 1947, pp. 85 et suivantes.

22. F. Luchaire, précité.

Le droit de grâce ou l'exercice solitaire du pouvoir

Un autre mécanisme de notre droit, «le droit de grâce», mérite également réflexion. Vieille prérogative régalienne transmise par la suite au président de la République, elle lui confère le privilège tout à fait exorbitant de remettre une peine prononcée à titre définitif par une juridiction pénale, privant du même coup celle-ci d'effets, soit totalement soit partiellement. Certes, ce mécanisme constitutionnel répond à une nécessité dans son principe et existe, à ce titre, dans la plupart des législations étrangères. Pourtant, on peut se demander s'il ne devrait pas être réorganisé dans une perspective d'un exercice du pouvoir plus démocratique et moins solitaire. Une telle faculté laissée au roi pouvait paraître logique, puisque que celui-ci concentrait tous les pouvoirs entre ses mains et exerçait lui-même, au stade suprême, le pouvoir judiciaire. Son maintien, dans une république qui consacre le principe de la séparation des pouvoirs et dans laquelle la souveraineté appartient au peuple, est choquant car il est l'aveu implicite d'une prééminence de l'exécutif sur le judiciaire et traduit la persistance, entre les deux, d'un cordon ombilical.

Un conseil supérieur de la magistrature, rénové et véritablement indépendant, présidé par le président de la République, ne pourrait-il pas exercer le droit de grâce évitant en cela ce «système solitaire du pouvoir», si souvent dénoncé et, finalement, toujours renforcé?

CHAPITRE 2

Une justice miséreuse

Incertaine de sa place dans l'Etat depuis que le mythe du troisième pouvoir ne peut plus lui servir d'alibi rassurant, frappée de plein fouet dans les années 1968 par une crise de conscience sur sa finalité et sa légitimité, l'institution judiciaire a également été atteinte, depuis 1973, dans son expression matérielle la plus banale. Elle s'est alors révélée incapable de faire face à l'accroissement considérable du contentieux. Cette «explosion judiciaire» a conduit progressivement à une situation de blocage mettant le justiciable dans l'impossibilité d'obtenir une décision dans un délai raisonnable.

Apparemment la pauvreté des moyens de la justice, avec pour corrolaire la lenteur et l'inefficacité de son action, n'est pas nouvelle. Elle semble se confondre avec la misère et l'archaïsme du ministère sous les auspices duquel elle est rendue. Sa part dans le budget de l'Etat n'a-t-elle pas toujours été inférieure ou voisine de 1%? Mais, à y regarder de plus près, c'est sous un angle nouveau et avec une acuité plus grande que les insuffisances de moyens apparaissent aujourd'hui.

Le décor: les palais

Derrière les façades imposantes des palais, le plus souvent stéréotypées, tant «la graine de la justice tombée d'un ciel noir a poussé un peu partout ses colonnades et son fronton grec»[1], c'est presque toujours le même décor qui s'impose au visiteur: une

1. Casamayor, *Les juges*, Le Seuil, Coll. Le temps qui court, 1957, p. 58.

immense «salle des pas perdus» semble témoigner d'un temps révolu où la justice aurait été célébrée par tout un peuple assemblé et qu'une mystérieuse malédiction aurait fait fuir. Au fond de l'imposante nef entourée des chapelles, que constituent les chambres civiles et pénales, la première chambre du tribunal ou de la cour, selon le cas, est le saint des saints de ce qu'il faut bien appeler un temple, même si l'immense crucifix qui jadis dominait les débats a, sauf oubli inexplicable, été enlevé au temps du «petit père Combes». Un visiteur étourdi, conforté dans son erreur par le ballet des robes noires, chercherait machinalement le bénitier et l'emplacement des cierges...

C'est dans ces «grand' chambres», aux plafonds dorés et aux murs décorés de tapisseries des Gobelins, que se déroulent les audiences solennelles suivant un cérémonial minutieux, consacré par les siècles. C'est là que les magistrats revêtus de pourpre et d'hermine s'adressent aux autorités de l'Etat, du département, de la ville et se livrent — ainsi que l'a fort bien dit un ancien garde des Sceaux qui sait de quoi il parle — «à d'académiques discours intemporels mêlés d'oraisons funèbres tels que le grand siècle les aimait[2]. Tout ce décor, issu pour l'essentiel du XIXe siècle, répond aux conceptions de la justice de cette époque, «représentation sur un théâtre, duel oratoire poursuivi devant un collège de muets...; à une telle justice il fallait de vastes auditoires. Pour une société à laquelle s'offraient peu de distractions, le procès en constituait une. Les galeries des palais demeuraient une sorte de forum au sens romain du terme, un forum couvert pour climats pluvieux.»[3].

Jusqu'ici la Justice semble s'accorder aux espaces infinis hantés seulement par des dieux mystérieux, représentés aux frontons et dont le glaive et la balance constituent les éléments symboliques et les citations latines: «Jus», «Lex», les commandements hermétiques. Il suffirait d'un peu de curiosité mêlée de hardiesse — que la crainte inspirée par les lieux, à défaut de respect, ne favorise guère — pour découvrir, derrière une porte, l'envers du décor: des bureaux exigus et surpeuplés, des couloirs encombrés de dossiers que les armoires ne parviennent plus à absorber, des bibliothèques poussiéreuses comportant plus d'ouvrages écrits en latin que de livres récents, des équipements désuets; bref un cadre et des conditions de travail qui, dans des administrations moins soumises, entraîneraient le déclenchement immédiat de grèves avec journées portes ouvertes pour l'édification des usagers, et

---

2. J. Foyer, in *La justice en question,* Cahiers de la NEF, janvier-mars 1970, p. 29.
3. J. Foyer, précité.

dans le privé, les foudres de l'inspection du travail. Si d'importants efforts ont été entrepris depuis de nombreuses années pour mettre fin à cette situation déplorable, encore ne faut-il pas tomber dans le travers bien français qui consiste à mettre en avant quelques réalisations prestigieuses pour occulter la réalité qui demeure celle de la pénurie et de la médiocrité.

Des dorures masquant la pauvreté, des symboles muets caractérisent aujourd'hui encore une justice qui s'épuise à appréhender la société du XXe siècle finissant selon des schémas du siècle précédent et qui s'évertue à agir avec les moyens et les méthodes qui étaient alors les siens.

A vrai dire, cette misère de la justice devait passer inaperçue jusqu'à la Deuxième Guerre mondiale. En effet, la faiblesse de ses moyens ne l'empêchait pas de répondre de façon satisfaisante aux problèmes d'un pays rural et bourgeois au travers d'un contentieux civil traditionnel touchant essentiellement à la propriété et à la famille, et d'un contentieux pénal stable et assez faible. C'était l'époque des grands ténors du barreau, des juges patients, des plaideurs respectueux. La pauvreté de la justice passait d'autant plus inaperçue qu'elle participait de celle, plus générale, qui caractérisait l'administration française des «ronds de cuir» immortalisée par Courteline.

Les mutations de notre société et l'absence de leur prise en compte dans le fonctionnement de la justice en temps voulu par les pouvoirs publics devaient faire de la France un pays «sous-développé». Notre justice, faute de moyens était contrainte à répondre aux problèmes nouveaux avec des méthodes anciennes jusqu'à ce que, fatalement, elle apparaisse inadaptée et inefficace. Longtemps, il n'exista aucun désir profond de remédier à cet état de choses; tout se passait «comme si l'opinion considérait la justice comme une administration vétuste dont il n'y avait plus rien à espérer»[4]. La misère était progressivement devenue inhérente à la justice dont le caractère obsolète finit par être dans la nature des choses. Cette attitude confortable, en particulier pour les pouvoirs publics, permettait de faire l'économie de la recherche dérangeante des causes et des responsabilités.

Les magistrats eux-mêmes, par la résignation dont ils faisaient preuve et par leur propension à considérer la misère comme une vertu, garantie de leur indépendance, n'aidaient guère à faire changer cet état de choses dont ils étaient pourtant, avec les justiciables, les premières victimes. «Tables bancales, fauteuils sans

---

4. J.L. Ropers, in *Au service de la pensée judiciaire*, p. 66.

fonds, tapis troués et peintures moisies leur apparaissaient comme le cadre naturel de la justice. Il eut été vain, voire impie de vouloir y changer quoi que ce soit»[5]. Si cette attitude ne manquait pas à certains égards de panache, elle n'était pas sans danger. Sa logique conduisait les juges à s'enfermer dans leur tour d'ivoire et à se réfugier dans une résignation stérile, car «exilés de l'intérieur, ils attendaient la venue du gouvernement conscient de ses responsabilités qui leur aurait spontanément restitué un cadre digne de la justice»[6] de sorte qu'ils s'exposaient à un déclin plus grand encore.

Les auxiliaires de justice, les avocats en particulier, qui sous la IIIe République avaient un poids politique considérable en raison notamment de leur représentation parlementaire assez importante n'avaient pas mis tout leur poids dans la balance. En dépit de quelques «barouds d'honneur», il ne percevaient peut-être pas alors que l'obsolescence de la justice et sa paupérisation croissante ne rejailliraient pas seulement sur les juges dont ils déploraient verbalement le sort inique, mais finiraient par entraîner leur propre profession dans le même déclin.

Il est incontestable que depuis 1958 un effort de rénovation a été entrepris; il s'est traduit tout d'abord par quelques opérations immobilières spectaculaires mais nécessaires: la construction du palais de justice de Lille et des grands tribunaux de la région parisienne (Evry, Créteil, Nanterre) ou, dans le domaine pénitentiaire, des maisons d'arrêt de Fleury Mérogis, Grenoble, Valencienne, Gradignan... L'essentiel des crédits d'équipement ayant dû être consacré à ces opérations, la situation matérielle d'ensemble, malgré des efforts ponctuels[7], demeurait médiocre, d'autant que la crise économique à partir de 1973 ralentissait le programme de construction. Le garde des Sceaux, Robert Badinter, devait d'ailleurs reconnaître en 1984 que la justice française est une des plus pauvres d'Europe et qu'en matière pénitentiaire, notre pays se situe très loin derrière nos voisins européens, juste avant la Turquie[8]. La situation explosive actuelle dans les prisons françaises s'explique, en grande partie, par la vétusté et le surpeuplement des établissements pénitentiaires.

Par ailleurs, la pauvreté, qui est le lot d'un grand nombre de juridictions, risque fort de perdurer et même de s'accroître par

5. J.L. Ropers, in précité, p. 66.
6. J.L. Ropers, in précité, p. 67.
7. Lire A. Ortolland, *La justice, ses moyens financiers, ses actions*, La Documentation Française, 1985, n° 4778.
8. *Le Nouveau Pouvoir Judiciaire*, n° 301, spetembre-octobre 1984, p. 23.

suite du transfert des charges financières de la justice des collectivités territoriales à l'Etat, lequel devrait intervenir, en principe, en 1987. Il est, à ce égard, pour le moins paradoxal qu'au moment où l'Etat se défait d'importantes et nombreuses compétences au profit des collectivités locales, il procède à l'inverse dans le domaine judiciaire, renforçant ainsi son contrôle sur l'institution par le biais des mécanismes de gestion.

Les acteurs: les magistrats

Jusqu'en 1958, la situation matérielle des magistrats s'était sans cesse dégradée au point de devenir indécente. Devenue le paria de la fonction publique, la magistrature ne faisait pas recette. Nombre de ceux qui auraient aimé y servir s'en détournèrent. La sélection devait devenir de ce fait un problème insoluble car les postes proposés à l'examen professionnel ne pouvaient tous être pourvus, faute de candidats en nombre suffisant.

Curieusement, le sort qui était fait à la justice par les pouvoirs publics, qui poussaient le cynisme jusqu'à rendre hommage rituellement à «la fonction la plus noble de l'Etat», alors que l'abandon dans lequel ils la tenaient conduisait à sa déconsidération, ne suscitait guère de remous dans ses rangs. Sans doute cette timidité, qui confinait à une acceptation résignée, trouvait-elle ses racines profondes dans l'idée que le juge, familier des dieux de l'Olympe, se trouve nécessairement au-dessus des contingences matérielles, idée d'autant plus forte, autrefois, que l'on attachait toujours une certaine indignité au fait de gagner sa vie par son travail. De telles analyses étaient, en effet, de mise chez les grands magistrats de l'Ancien Régime et le président de Brosse les résumait toutes lorsqu'il écrivait en 1750: «Le juge le plus intègre, le plus instruit, le plus assidu, doit prolonger ses jours jusqu'à un terme le plus reculé sans autre fruit d'un travail continuel que d'avoir servi son prince et sa patrie. Son devoir lui suffit... La pureté de ses sentiments le dédommage de l'impossibilité de parvenir à la fortune.» Il est vrai que le système de la vénalité des charges, alors en vigueur, mettait le magistrat à l'abri des besoins et que Voltaire devait accuser le même président de Brosse de concussion...

Ce n'est véritablement qu'avec la création de l'Union Fédérale des Magistrats après la Deuxième Guerre mondiale, «à l'origine réflexe de défense contre une misère qui fut véritable»[9], que les

9. J.L. Ropers, in *Au service de la pensée judiciaire,* p. 121.

questions tabous de traitements et plus généralement toutes celles touchant aux problèmes matériels firent l'objet d'une revendication constante, même s'il restait de bon ton de le faire «mezzo vocce», la dignité imposant d'être pauvre mais discret. Ces revendications ne faisaient d'ailleurs pas l'unanimité dans un corps où le masochisme n'est pas toujours absent. Dans un livre publié en 1957 — au temps des «vaches maigres» —, un magistrat, sans doute anachorète, dénonçait les buts «alimentaires» de l'Union Fédérale des Magistrats et se gaussait des titres parus dans le journal de cette association: «la grande détresse des futurs magistrats», «l'indemnité des magistrats devant l'Asemblée Nationale», «le budget de la justice à l'Assemblée Nationale», «Combien gagnez-vous?», etc. [10]. Ce n'est pas le moindre paradoxe qu'un magistrat se déclarant acquis au syndicalisme ait dénoncé avec un tel dégoût ce qui répond pourtant à sa vocation première: la défense des intérêts matériels et moraux de la profession. L'action revendicative persévérante de l'Union Fédérale des Magistrats permit pourtant une prise de conscience de la classe politique, à moins qu'il ne s'agisse de mauvaise conscience. Ceci se traduisit par quelques améliorations en 1953 et 1955, notamment pas le biais de la réduction du nombre des grades. Mais ce n'est qu'à la faveur de la conjonction de la situation exceptionnelle de 1958 et d'un homme ayant trop le sens de l'Etat pour tolérer que l'une de ses fonctions essentielles soit laissée à l'abandon, que le problème d'ensemble fut enfin réglé. Michel Debré, dès 1947, soit bien avant d'être garde des Sceaux, avait dénoncé les maux dont souffrait le corps judiciaire, notamment sa situation matérielle médiocre à laquelle les magistrats ne pouvaient remédier qu'en pratiquant une course dégradante à l'avancement; son constat était sans fard: «qui, en France, dispose de l'autorité, de la valeur, de l'aisance matérielle, ce n'est pas le magistrat», parfois cruel: «Quand on parle d'un canard boiteux, personne en France n'en doute, la justice est visée»; sa vision lucide: «une administration mauvaise fait douter de l'Etat, une justice mauvaise fait douter de la société» [11]. Une fois aux affaires, encouragé dans sa volonté de procéder à une réforme judiciaire profonde par le général de Gaulle lui-même, Michel Debré, profitant de la procédure des Ordonnances réalisa ce que la IVe République, pourtant saisie du problème et de l'urgence à le résoudre, s'était avérée incapable de faire. Le premier volet de la réforme consista à faire bénéficier le

---

10. Casaymor, précité, *Les juges*, p. 172.
11. M. Debré, *La Mort de l'Etat Républicain*, Gallimard, 1947.

corps judiciaire d'une situation matérielle convenable, offrant des perspectives de carrière attrayantes. Les traitements furent ainsi considérablement revalorisés, l'échelonnement indiciaire se situant à parité avec celui des administrateurs civils issus de l'ENA[12]. Des indemnités de fonction destinées à compenser les sujétions de toute nature que les magistrats sont appelés à rencontrer en raison du caractère spécifique de leurs tâches et de l'ampleur de leurs responsabilités furent instituées même si elles restaient bien inférieures à celles de la fonction publique. L'évolution devait d'ailleurs révéler un décrochage toujours croissant entre la situation matérielle d'ensemble de cette dernière et celle réservée aux magistrats.

Le général de Gaulle, retraçant la situation qu'il avait trouvée lors de son retour aux affaires déplorait la situation du recrutement dans la magistrature: «Bien que le niveau d'entrée ait été abaissé, il devenait impossible de pourvoir à tous les emplois, et on pouvait se demander si, parmi ceux qui les rempliraient, n'allait pas apparaître un lot d'insuffisants et d'incapables». Les fonctions judiciaires, rendues plus attrayantes par le premier volet de la réforme, le magistrat voyant sa condition alignée sur celle des hauts fonctionnaires, il était désormais possible de mettre en place un système garantissant un recrutement de qualité.

Le Centre National d'Etudes judiciaires[13] fut créé en 1959 dans ce but. Certains alors eussent préféré que soit créée une section justice dans le cadre de l'Ecole Nationale d'Administration. Cette position ne manquait pas d'arguments. Il est évident que le prestige et la qualité de l'enseignement dispensé à l'ENA n'aurait pas manqué de profiter par ricochet à la justice. En réalité, le choix opéré, quelles qu'en aient été les raisons, devait se révéler particulièrement judicieux. Il était important de différencier la formation du juge de celle du fonctionnaire, l'action de l'un et de l'autre ne pouvant être sous-tendue par la même philosophie. Si à l'ENA est exalté le sens de l'Etat, dont le service constitue en soi une finalité, si l'intérêt général y est mis en exergue, les intérêts individuels prenant, par contrecoup une connotation péjorative, le juge judiciaire, avant tout garant des libertés individuelles, ne peut qu'avoir une approche très différente des problèmes. Dans un pays où traditionnellement l'administration prédomine, il était important d'éviter que le corps judiciaire, par osmose, ne vienne à perdre tout ce qui fait sa spécificité et constitue sa raison d'être; il

---

12. Décret 58-1278 du 22 déc. 1958 modifiant le décret 44-1198 du 19 juillet 1948.
13. Devenu Ecole Nationale de la Magistrature.

était essentiel de marquer, ne serait-ce que sur le plan symbolique, que la magistrature, si elle est partie intégrante de l'Etat, n'en exerce pas moins une fonction distincte, séparée. Le choix opéré était d'autant plus nécessaire que l'on assiste au sein même de la justice, depuis de très nombreuses années, à une dévalorisation croissante des fonctions juridictionnelles. Etonnant paradoxe dont la portée est considérable dans la mesure où elle constitue l'indice d'un mal endémique qui pourrait se révéler mortel. Il faut approuver Jean Louis Ropers lorsqu'il écrivait: «La responsabilité juridictionnelle ne jouit d'aucune considération. On admet volontiers que les biens, la liberté, l'honneur et la vie des justiciables puissent être confiés à des magistrats considérés comme de second rang, alors qu'on s'attache à sélectionner les meilleurs lorsqu'il s'agit de leur confier des tâches administratives, parfois mineures»[14]. Ainsi, répartir des magistrats entre les chambres d'un tribunal, superviser le fonctionnement du greffe, organiser et aménager les locaux est devenu désormais plus important que de décider d'un divorce, protéger un mineur en danger, faire incarcérer ou laisser en liberté un délinquant. Cette déviation est, en grande partie, due au fait que la justice s'est laissée imposer des critères administratifs qui lui sont pourtant consubstantiellement étrangers. Le ministère des finances est parvenu à introduire, dans le classement indiciaire des magistrats, la notion de poste de responsabilité. Essentielle dans la fonction publique, caractérisée par le phénomène hiérarchique qui veut que seuls quelques fonctionnaires aient le pouvoir de décider, cette notion était tout à fait inconcevable, antinomique même, avec les principes qui président à l'organisation de la justice. C'était oublier que les magistrats du siège, quel que soit leur grade ne peuvent recevoir d'ordres dans l'exercice de leurs fonctions juridictionnelles; leur totale autonomie ne trouve de limite que dans les voies de recours, de sorte que tout magistrat du siège exerce nécessairement des fonctions de responsabilité. Cette notion était tout aussi inconciliable avec la pratique très courante selon laquelle les membres du parquet, quoique soumis au principe hiérarchique à l'instar des fonctionnaires, n'en disposent pas moins, dans les faits, d'une très grande autonomie.

Sans prestige de la fonction juridictionnelle — incontestable dans les pays anglo-saxons et dans de nombreux pays d'Amérique latine — il ne peut y avoir prestige de la justice; considérer ses fonctions spécifiques comme négligeables, inférieures, ouvre la voie à une justice sans juges.

---

14. J.L. Ropers, in*Au service de la pensée judiciaire*, p. 67.

Ce phénomène est d'autant plus important qu'il se double d'une tendance marquée à rapprocher la fonction judiciaire de la fonction administrative. En banalisant la justice, en lui ôtant les caractères propres qui la distinguent, au sein de l'appareil d'Etat, des autres administrations, il devient possible d'en faire un corps subordonné comme les autres, participant à la mise en œuvre du projet des hommes politiques au pouvoir à un moment donné. Il a été montré, à cet égard, comment la diminution du rôle des sciences juridiques dans la formation des magistrats tourne le dos à la spécificité de leurs fonctions et comment la gestion du corps judiciaire, notamment au travers d'une approche purement technochratique, finit pas remettre en cause les rares éléments sur lesquels une indépendance, fût-elle fragile, se greffait[15].

Le spectacle: la faillite

L'équilibre du système judiciaire français a longtemps reposé sur une intervention quantitativement marginale du judiciaire. La société, alors relativement stable, fondée sur quelques principes fondamentaux communément admis impliquant un certain type de comportements individuels et collectifs, n'avait recours au juge qu'exceptionnellement. Celui-ci n'intervenait qu'à l'égard de ceux, nécessairement minoritaires, qui se situaient en dehors de la norme; il rétablissait donc tant au civil qu'au pénal, l'ordre juridique abstrait qui s'était trouvé un moment rompu. Si, dans un tel cadre, l'intervention du juge était limitée, elle n'en était que plus significative, se manifestant dans des cas importants et de principe. La faiblesse numérique du contentieux rendait possible une étude artisanale des affaires et la procédure civile facilitait cette approche puisqu'elle donnait aux parties l'entière maîtrise du procès; le juge, arbitre muet du duel judiciaire entre les parties, par avocats interposés, consacrait le temps qu'il fallait à une question de droit de bornage, à une affaire de testament ou de régime matrimonial.

La multiplication des interventions de la justice dès le début du XXe siècle et son accélération après 1945 devaient modifier radicalement ces données. Le passage de l'Etat gendarme à l'Etat providence, son intervention dans la plupart des domaines de la vie de la nation par une administration omnipotente concoururent à faire dégénérer le Droit en réglementation pléthorique et fluctuante, dans l'application de laquelle toute liberté d'appréciation

---

15. J.P. Beraudo, «La justice est-elle une administration comme un autre?», in *Le Nouveau Pouvoir Judiciaire*, n° 291, nov.-déc. 1980, pp. 25 et suivantes.

était le plus souvent ôtée au juge. La reconnaissance de nouveaux droits économiques et sociaux, l'apparition de la sécurité sociale donnèrent naissance à des contentieux à la solution desquels les règles traditionnelles de notre droit civil se révélaient souvent inadaptées. L'usage généralisé des machines et tous spécialement de l'automobile furent à l'origine d'un développement considérable du contentieux de la responsabilité. Par ailleurs, l'urbanisation intensive, avec ses conséquences: une population anonyme, ségrégée, entassée qui a perdu ses points de repère et son identité, a favorisé l'apparition et le développement de cette délinquance du quotidien dont souffre notre société.

Tout cela devait remettre fondamentalement en cause les données précédentes. La mutation de notre société devait rompre l'équilibre jusqu'alors maintenu nonobstant la pauvreté en personnel et en matériel et c'est vers les années 1973/1974 que l'on peut situer le véritable point de rupture. La coïncidence de cette date avec celle du début de la crise économique structurelle n'est sans doute pas fortuite et l'on peut se demander si cette dernière n'a pas joué comme un révélateur, mettant en évidence une crise de la justice qui, pour être réelle, demeurait pour l'essentiel occultée. A partir de ces années, par une sorte de renversement, le système judiciaire s'est trouvé axé vers le quantitatif, vers «la consommation de masse», dont les contentieux civils et pénaux liés à l'usage de l'automobile ou à celui des chèques, constituent des exemples. La structure judicaire, fondée sur une intervention marginale ne pouvait faire face à des actes qui ne l'étaient plus. Ce ne fut pas la moindre erreur pour le législateur, les gouvernants, les juges, que de s'acharner à vouloir traiter ces nouveaux contentieux avec les méthodes du siècle précédent, au prix de fictions dérisoires et d'une dégradation qualitative de l'intervention judiciaire. La fiction consista à faire passer pour de véritables décisions celles qui, en réalité, ne constituaient que des tarifs impersonnels à travers des procédures telles que l'ordonnance pénale, l'amende forfaitaire et l'amende pénale fixe. Ce faisant, le juge se trouvait progressivement détourné de son rôle fondamental qui consiste à prendre des mesures individualisées dans des domaines significatifs, pour devenir l'alibi formel des modes de régulation qui n'osent pas avouer leur caractère impersonnel et automatique et qui ne constituent que de fausses décisions répétitives. Accaparé par ces tâches, il finissait par négliger des contentieux essentiels dans les domaines économique et social et, par contrecoup, le législateur mesurant les risques de blocage finit par hésiter à lui confier des contentieux nouveaux.

Les remèdes

Continuer sur cette pente ne serait pas sans entraîner à terme, de graves conséquences pour les citoyens dès lors que des décisions importantes les concernant ne résulteraient plus d'un débat individualisé, contradictoire, public. La justice doit, sauf à faillir à sa mission constitutionnelle, protéger efficacement les libertés chaque fois qu'elles sont menacées. En ce domaine, son intervention doit permettre un examen approfondi et véritablement contradictoire auquel le justiciable est en droit de prétendre. Aucun abandon des pouvoirs du juge au profit de l'administration ne peut être toléré. Tout aussi fondamental est le rôle du juge dans ce qu'il est convenu d'appeler la gestion dans la durée des situations individuelles, modalité nouvelle de son intervention qui implique des charges considérables: parce que la protection des mineurs, des majeurs incapables, comme l'individualisation de l'exécution des peines touchent à la liberté et à la capacité des personnes, l'intervention du juge reste indispensable. Enfin, il convient de restituer au judiciaire la compétence la plus large en matière économique et sociale.

Mais tout cela ne peut être que si la justice se trouve débarrassée du règlement des contentieux sous le poids desquels elle étouffe, s'épuisant à les résoudre au détriment de ce qui constitue sa mission principale.

Il faudra finir par admettre que toute sanction n'implique pas nécessairement l'intervention judiciaire. Il est aisément concevable que le juge n'ait plus à intervenir en matière de contraventions, notamment pour les infractions à la circulation, sauf sous la forme d'un recours, dans des cas bien définis, contre la décision qui serait prise à un autre niveau que le sien.

En matière civile et sociale, il a été proposé de multiplier, aussi souvent que possible, les mécanismes permettant de différer l'intervention judiciaire pour permettre à d'autres modes de régulation des conflits de jouer [16]; la conciliation et le précontentieux pourraient être favorisés et développés, le juge gardant un rôle fondamental de recours et de contrôle. Ainsi, par exemple, dans les litiges mettant en cause une catégorie professionnelle ou sociale structurée (assureurs, médecins, syndics de copropriété), est-il imaginable de conférer à un organisme émanant de ces structures professionnelles, et comprenant aussi des usagers, une mission de conciliation ou de précontentieux? Ce n'est qu'en cas d'échec de

---

16. Rapport de l'Union Syndicale des Magistrats à M. Thailades sénateur, in *Le Nouveau Pouvoir Judiciaire*, n° 300, mai 1984.

cette première tentative de règlement que le juge pourrait être saisi par voie de recours. En matière d'assurance, ou, de façon plus générale de dommages couverts par une assurance — circulation, construction notamment — ne peut-on combiner la mise en œuvre d'une législation destinée à prévenir les litiges — c'est l'objet de la loi du 5 juillet 1985 sur les accidents de la circulation plus ou moins inspirée des idées du professeur Tunc et de l'obligation d'assurance imposée par la loi du 4/1/1978 en ce qui concerne l'assurance construction — avec la création d'un organisme spécial auquel tous les litiges devraient être soumis préalablement à la saisine du juge?

En matière prud'homale l'idée d'une procédure paritaire, interne à l'entreprise, préalable à la saisine du conseil de prud'hommes et destinée à prévenir et régler les litiges mérite d'être approfondie.

Enfin, pour éviter la multiplication des procès, ne devrait-on pas s'orienter vers la technique des actions de groupe permettant de trancher par une seule procédure les litiges opposant plusieurs demandeurs au même défendeur?

On ne manquera pas d'objecter un risque d'éclatement de la justice, voire l'éclosion de justices corporatives, mais un tel risque est faible dès lors que les organismes ainsi créés n'agiraient que dans une phase précontentieuse, c'est-à-dire préalable au droit de reours au juge. Et ce n'est qu'à ce prix que la justice peut retrouver son rôle et échapper au déclin.

Rendue à sa vocation naturelle, elle éviterait aussi l'écueil redoutable de la bureaucratisation vers lequel aujourd'hui tout l'entraîne: son environnement administratif et technique l'y pousse comme les modes intellectuelles. La voilà, telle une «entreprise» — le mot a été employé par le ministre de la justice —, hantée par le rendement, obnubilée par les statistiques et, pour peu que l'on n'y prenne garde, viendra bientôt le temps où le Plan prévoira la «production» judiciaire, à l'instar des automobiles ou des kilomètres d'autoroute. Méfions-nous d'une justice de plus en plus stakhanoviste et de moins en moins humaniste. La justice n'est pas réductible aux chiffres, son aspect statistique est trompeur et déformant. Le juge serait bien mal inspiré et le plaideur bien à plaindre, si toute la démarche judiciaire n'avait d'autre obsession que le rendement sur lequel, pourtant, les magistrats sont notés. En effet, il est difficile de «faire du chiffre» et de respecter la qualité. Un jugement importe d'abord par le sens de la réponse qu'il apporte à une question donnée, l'apaisement ou le trouble qu'il procure dans les relations entre les parties. Tout aussi illusoire et dangereux serait le recours à l'augmentation

massive du nombre des juges: illusoire parce qu'une telle revendication, dans la situation de nos finances publiques, a fort peu de
chances d'aboutir, d'autant plus que pour marquer leurs effets de
façon significative, les créations de postes de magistrats devraient
être très nombreuses, sans jamais pouvoir être en proportion de
l'augmentation du contentieux; dangereux, parce que cette solution, longtemps considérée comme la panacée, a paralysé toute
réflexion véritable sur le fonctionnement de la justice et sur la
réforme de ses méthodes. Le nombre de magistrats fera moins
problème le jour où les pouvoirs publics prendront enfin
conscience du caractère archaïque de l'intervention du juge dû à
la faiblesse de ses moyens. En effet, le magistrat doit généralement
tout faire par lui-même, ne disposant ni de collaborateurs ni de
moyens matériels de sorte qu'il lui faut se transformer en homme
orchestre: le personnel dactylographique compétent étant rare et
rarement disponible, la plupart des magistrats apprennent, par
mesure de sécurité, à taper à la machine; le greffe étant sur-
chargé, c'est souvent le juge qui procède au classement des pièces
dans les dossiers; comme il n'a pas de secrétaire, et fréquemment
pas de bureau, c'est à lui de contacter la secrétaire d'un avocat
par téléphone ou celle d'un commissaire de police; comme les
appariteurs font défaut, c'est à lui d'en faire fonction. A force
d'exercer ces tâches matérielles quelques magistrats ne peuvent
imaginer d'exercer leurs fonctions autrement. Tous perdent une
grande partie de leur temps au détriment de leurs tâches essentielles. La justice en ressort déconsidérée et inefficace.

Il arrive que le législateur amplifie ce phénomène par d'ahuris-
santes déclarations qui prouvent une totale méconnaissance de la
réalité judiciaire. Ainsi, lors des débats ayant précédé le vote de la
loi du 9 juillet 1984, le rapporteur de la commission des lois
exposa très sérieusement que la disposition nouvelle dispensant le
greffier de dresser l'inventaire des pièces que contient un dossier
d'instruction «est une mesure de bonne administration de la justice
qui déchargera le greffier d'une tâche importante, certes, mais qui,
il faut bien le dire, n'avait d'autre utilité que de faciliter le travail
des magistrats. Désormais ces derniers dresseront eux-mêmes
l'inventaire,... libérant le greffier pour d'autres tâches.»[17] Curieuse
logique qui conduit à trouver peu souhaitable que le travail du
greffier facilite celui du magistrat dont il est pourtant l'auxiliaire;
étonnant paradoxe de voir le juge chargé des tâches de secrétariat
pour permettre au greffier ainsi libéré de se livrer à d'autres

---

17. J.O., Débats parlementaires n° 67, AN, 27 juin 1984.

travaux! A ce stade de perplexité, le canular serait l'explication la plus satisfaisante.

Le juge doit être l'homme des décisions, ce qu'il n'aurait jamais dû cesser d'être si on lui en avait donné les moyens. Il ne peut plus remplir sa mission s'il travaille «seul, éclairé par sa lampe à huile et au rythme lent de sa plume». Ne doit-il pas se transformer en un homme de synthèse, un généraliste du droit qui contrôle et coordonne les travaux d'auxiliaires et d'assistants[18]?

En d'autres termes, il convient de mettre sur pied un système d'aide à la décision. Des fonctionnaires, qui pourraient être des greffiers en chef[19], auraient pour mission d'assister les magistrats. Sous la direction de ceux-ci, ils seraient chargés, outre de la mise en forme des dossiers, de travaux de recherche et de documentation, ils prépareraient des mesures d'instruction, rédigeraient des projets de jugement dans des affaires simples, le juge décidant seul, en dernière analyse et sous sa responsabilité exclusive. Cette intégration des greffiers dans le processus de la décision judiciaire dynamiserait les membres d'une profession dont l'augmentation très sensible au cours de la dernière décennie ne s'est pas traduite, jusqu'à présent, par une amélioration corrélative du fonctionnement de la justice. Elle mettrait fin à la tendance à l'autonomie d'un corps qui ne se réaliserait qu'au détriment du service public de la justice; en effet, l'infrastructure matérielle ne peut pas, sans quelque absurdité ni conséquences fâcheuses, ne pas être directement sous la dépendance de ceux qui l'utilisent.

Le contrôle exercé par le magistrat sur le greffier, auquel certains de ces derniers voudraient échapper, n'est pourtant que le corollaire de la responsabilité exlcusive du premier dans la décision juridictionnelle à l'élaboration de laquelle le second, à sa place, doit concourir.

L'aide à la décision apparaît d'autant plus souhaitable que sa mise en œuvre se trouve facilitée par l'irruption, dans la justice, de l'informatique qui pourrait compléter et prolonger l'action des greffiers assistants de justice. Une expérience informatique d'aide à la décision a été conduite à la cour de cassation et ses résultats encourageants ouvrent des perspectives tout à fait nouvelles, de nature à bouleverser complètement les méthodes de travail et à permettre de faire face, au moins dans une certaine mesure, à l'accroissement des pourvois. Il est également possible de se

---

18. U.S.M., «Le fonctionnement de la justice en 1984», in *Le Nouveau Pouvoir Judiciaire*, n° 300, mai 1985, pp. 12 et suivantes.

19. Ou un nouveau corps d'assistants du juge.

demander si l'informatique ne constitue pas, dans le contexte
actuel, la meilleure réponse aux contentieux de masse[20]. Dans la
mesure où les décisions qu'ils appellent semblent correspondre
aux critères de l'automatisation, l'intervention de l'ordinateur pourrait être assimilée à une offre de transaction qui, rejetée par le
justiciable, conduirait à la mise en œuvre d'un jugement suivant les
procédés traditionnels.

A un autre stade, l'informatique de gestion est devenue une
priorité dans les choix budgétaires du ministère de la justice. De
nombreuses machines de traitement de textes ont été implantées
dans la plupart des juridictions, ainsi que des mini et des micro-
ordinateurs. Grâce à ces derniers le suivi de la chaîne pénale sera
bientôt automatisé, du dépôt de plainte à la condamnation. Le
bénéfice tiré d'une telle innovation sera considérable car le chemi-
nement d'une plainte est un processus complexe dont le parquet,
le juge d'instruction et le greffier doivent pouvoir connaître et
contrôler les étapes à chaque instant. Les mêmes appareils vont
permettre une automatisation complète ou quasi complète de la
gestion des dossiers.

Il va de soi que la justice ne pourra tirer profit de l'informatique
que si tous ceux qui y participent font l'effort nécessaire d'adaptation en acceptant de bousculer leurs habitudes. C'est non seulement vrai des magistrats et des greffiers, mais également des
avocats dont le travail doit être présenté dans un ordre et sous
une forme prédéterminée facilitant la saisie informatique.

Toutefois, pour s'engager lucidement dans les voies nouvelles
offertes par la révolution informatique, encore faut-il en connaître
les limites pour éviter les équivoques et se préserver des désillu-
sions. La véritable décision de justice — c'est-à-dire celle qui ne
procède pas d'un pseudo-choix dans les contentieux de masse —
ne peut être soustraite à l'examen «artisanal» du magistrat car le
choix juridictionnel ne peut se laisser enfermer dans une program-
mation rigide. D'abord, parce que la règle de droit est rarement
univoque et que de nombreuses notions sont par définition flexi-
bles et changeantes (les bonnes mœurs, le bon père de famille,
l'intérêt de la famille, l'urgence...). Ensuite, parce que la distinction théorique du droit et du fait s'estompe dans la pratique, le
juriste cherchant à adapter le droit aux faits qu'il régit. Enfin, parce
que le syllogisme judiciaire, par lequel le juge «plaque» la règle de
droit sur une situation de fait, cède souvent la place à un
raisonnement inverse: à partir d'un dispositif considéré comme

---

20. Voir p. 40.

équitable, réaliste, souhaitable, la motivation est peu à peu reconstituée, de telle sorte que le résultat de la déduction soit en accord avec le projet initial. Ce caractère irréductible de la décision de justice à l'informatique est somme toute réconfortant, car il met en évidence l'existence d'une spécificité de l'administration de la justice. En effet, un artisanat judiciaire important souligne, en premier lieu, que la justice n'est pas assimilable aux autres administrations et qu'elle occupe au sein de la société une place particulière: elle est l'unique corps qui a la charge de définir une valeur, la notion de justice, qui représente «ce qu'un consensus social admet à un moment donné comme étant le comportement que chacun devrait légitimement avoir», selon l'expression de Chaïm Perelman.

En vérité, si la décision judiciaire n'est pas automatisable c'est parce que le juge fait œuvre de création, parce que l'aléa est une composante essentielle de la notion de justice «dans la mesure où chacun est en droit d'espérer que la règle de droit sera aménagée grâce à la prise en compte des caractéristiques atypiques de chaque cas»[21].

Il faudra beaucoup de vigilance pour éviter l'écueil, dicté par la logique même de l'informatique, de voir apparaître des solutions de plus en plus standardisées, moulées sur le précédent et dans lesquelles les nuances et les complexités de la vie n'auraient plus leur place. Il faudra veiller à ne pas délaisser, pour des impératifs de rentabilité et de rapidité, tout ce qui fait «le supplément d'âme qui est indispensable à l'œuvre de justice»[22]; la sauvegarde d'une justice humaniste sera à ce prix.

---

21. B. Farret, «L'irréductibilité de l'artisanat judiciaire en matière de décisions», in *Le Nouveau Pouvoir Judiciaire*, n° 300, septembre-octobre 1984, p. 6.
22. S. Rozès, Discours de rentrée 1985 de la cour de cassation.

**Activités civile des cours d'appel
et tribunaux de grande instance (métropole)**[1]

	1979	1980	1981	1982	1983	1984
Cours d'appel*						
Affaires nouvelles	101 000	106 000	121 000	127 000	132 000	136 000
Affaires terminées	80 000	90 000	100 000	100 500	112 000	126 000
T.G.I.**						
Affaires nouvelles	312 000	365 000	384 000	379 000	388 000	405 000
Affaires terminées	280 000	310 000	350 000	342 000	362 000	391 000

(*) Activité civile, commerciale et sociale des cours d'appel
(**) Activité civile et commerciale des tribunaux de grande instance

1. Extrait du *Courrier de la Chancellerie* n° 42-1985, mensuel d'information du Ministère de la Justice.
NB: Ces statistiques ne tiennent pas compte du stock des affaires qui représentait en 1984: 204 966 pour les cours d'appel et 410 579 pour les Tribunaux de Grande Instance.

CHAPITRE 3
Une justice déchirée

Une justice démembrée et fractionnée

Rien n'est plus trompeur que la représentation d'une justice massive, unique, placée en situation d'égalité face aux pouvoirs législatif et exécutif. Le pouvoir judiciaire se révèle en réalité tantôt fractionné, tantôt démembré, ce qui contribue à son affaiblissement. Ce phénomène se trouve accentué surtout depuis la Libération, par une tendance à la spécialisation croissante du droit qui se traduit, quant à l'organisation judiciaire, par la prolifération de ce que Casamayor a qualifié de «juges à épithète»: juge aux affaires matrimoniales, juge des enfants, juge de l'application des peines... Cette évolution, dont on voit mal comment elle pourrait être contrecarrée, présente l'inconvénient considérable d'«atomiser» la justice et de permettre le face à face d'un juge solitaire et d'une administration omnipotente; ainsi les prérogatives de la direction départementale de l'action sanitaire et sociale finissent par restreindre le pouvoir d'appréciation et de décision des juges des enfants, ce qui a pour effet d'atteindre les garanties judiciaires protégeant les droits et libertés des jeunes et des familles.

Le démembrement, qui se traduit par l'existence, dans notre pays, de juridictions de l'ordre administratif à côté de celles de l'ordre judiciaire, est lui plus ancien. Si le réalisme conduit à le considérer comme irréversible, il n'est pas pour autant inutile de se pencher sur sa signification profonde et d'appréhender ses conséquences. B. de Jouvenel a rappelé comment «la Révolution a enlevé à la justice la fonction qu'elle exerçait auparavant de défendre l'individu contre les entreprises du pouvoir»[1]. Les consti-

---

1. B. de Jouvenel, précité, *Du Pouvoir*, p. 283.

tuants avaient applaudi Thouret lorsque le 24 mars 1790, il critiquait le pouvoir judiciaire en ces termes: «Rival du pouvoir administratif il en troublait les opérations et en inquiétait les agents»; et ce n'était pas le moindre paradoxe «que ceux qui prétendent assurer l'intangibilité des droits individuels reprochent aux Parlements de les avoir protégés même contre le fait du prince»[2]. Ainsi, sous le prétexte fallacieux de séparation des pouvoirs, l'Etat se considérant comme transcendant, s'affranchissait des règles communes et mettait sur pied un système dans lequel il se prononçait éventuellement contre lui-même, après consultation pour avis du Conseil d'Etat ou des «conseils de préfectures», ancêtres des tribunaux administratifs actuels. Désormais, à la suite d'une évolution remarquable, le juge administratif prend seul les décisions «au nom du Peuple Français» dans des conditions voisines de celles du juge judiciaire. Pourtant, se trouve ainsi consacré au profit de l'état un privilège de juridiction lourd de conséquences sur le plan de notre philosophie politique et de notre conception des libertés et du droit. Notre système s'oppose à celui adopté en Angleterre où l'idée d'égalité devant la loi a suffisamment de force pour entraîner la soumission de tous à la norme unique dont l'application relève des tribunaux ordinaires. «Chez nous, anglais, tous les fonctionnaires, depuis le premier ministre jusqu'aux agents de police ou aux collecteurs de taxes, sont soumis à la même responsabilité que tout autre citoyen pour tout acte fait sans justification légale»[3]. L'état d'esprit qui résulte d'un tel système en constitue le premier bienfait et la garantie essentielle car «punissable pour l'exécution d'un acte qui lui a été ordonné, le subalterne examine avant d'exécuter, et les notions élémentaires de droit commun lui servent naturellement de base... quant au supérieur, la menace judiciaire lui rappelle sans cesse qu'il est un citoyen comme les autres...»[4].

Néfaste sur le plan des principes, la séparation de la justice judiciaire et administrative présente, en raison des règles complexes de répartition des compétences entre les deux ordres de juridictions, des inconvénients pratiques considérables qui confinent parfois à l'absurde, et qui sont de moins en moins acceptés, notamment au cas de licenciements économiques autorisés par l'administration[5]. La crédibilité de la justice s'en ressent, l'intérêt du justiciable en souffre.

---

2. B. de Jouvenel, précité, p. 282.
3. A.V. Dicey, *Introduction à l'étude du droit constitutionnel*, traduction Batut Jèze, Paris, 1902, p. 172.
4. A.V. Dicey, précité, p. 172.
5. Cf. infra, 2e partie, chapitre 3.

Un individualisme encouragé

L'épouvantail que représentaient les Parlements de l'Ancien Régime dans la classe politique française bien après leur disparition, le mythe toujours agité de leur reconstitution, la suspicion qui en rejaillit durablement sur le corps judiciaire, conduisirent le juge à se réfugier dans un individualisme forcené qui fût — et demeure encore en partie — une des faiblesses constitutionnelles de la magistrature que les pouvoirs successifs ne manquèrent pas d'exploiter habilement.

Concevant son indépendance avant tout comme une question de caractère, condamné dès lors à être un homme silencieux, isolé, solitaire face à sa conscience, le juge finit, par une sorte de tropisme, à répugner à toute réflexion et action collectives considérées comme autant d'atteintes à son libre arbitre, sans se rendre compte que l'isolement dans lequel il se murait lui interdisait, faute d'information, de comprendre les tenants et les aboutissants de son action, d'appréhender le contexte d'ensemble dans lequel elle s'inscrivait, bien au-delà de son intervention ponctuelle et parcellaire. Le juge, se voulant hors du temps et du monde était devenu le parfait habitant de la caverne de Platon.

L'individualisme ne bornait pas seulement le magistrat dans son action mais le laissait également dans un périlleux tête-à-tête avec le Pouvoir, désarmé, insignifiant, vulnérable. Mal protégé par des garanties statutaires insuffisantes, voire illusoires, comment le juge pouvait-il, quelles que soient sa force de caractère, sa compétence, sa pugnacité, tenir tête à un Pouvoir qui contrôle en grande partie son avancement?

Toutes les structures judiciaires — mode de formation des magistrats, déroulement de leur carrière, fonctionnement des juridictions — concouraient, trop habilement pour que ce soit l'effet d'un hasard, à exacerber l'individualisme du juge et, ce faisant, à créer les conditions propres à son isolement; aussi, la création d'une grande école destinée à former les futurs magistrats comme la naissance du syndicalisme judiciaire devaient contribuer à changer radicalement les structures de pensée de la profession comme ses moyens d'action.

«Le droit pour tout citoyen de se syndiquer est une des libertés fondamentales prévues par la constitution. Le statut de la magistrature ne l'a point écarté... mais — est-ce manque d'audace ou d'imagination? — les magistrats n'en avaient pas un»[6].

---

6. L. Joinet, in *La justice en question*, Cahiers de la NEF, janvier-mars 1970, p. 126.

Il est, en effet, troublant que le syndicalisme soit apparu si tardivement dans la magistrature — en 1968 — soit vingt ans après sa consécration officielle dans la fonction publique. Cela s'explique, sans doute, parce que l'individualisme, érigé en dogme, conduisait nombre de magistrats à répugner à tout engagement collectif, considéré comme une atteinte à leur indépendance, conçue avant tout comme affaire de tempérament et d'état d'esprit. Par ailleurs la question théorique de savoir si le syndicalisme était conciliable avec une institution exerçant des prérogatives de souveraineté avait longtemps paralysé les magistrats qui auraient été tentés de franchir le pas.

La permanence et l'aggravation de la crise de la justice française, l'impuissance des pouvoirs publics à la régler ne sont pas étrangères à cette naissance. C'est que «les magistrats acceptent de moins en moins la condition qui leur est faite. Ils se refusent à cautionner plus longtemps par leur silence et leur inaction une justice qu'ils savent inadaptée mais à laquelle on refuse de donner les moyens humains nécessaires à sa mutation. Ils ont pris conscience de leur capacité à s'organiser et à constituer, par le biais des organisations professionnelles, un corps de plus en plus fort, susceptible, par son union, de contraindre ces mêmes pouvoirs publics à faire face à leurs responsabilités, pour que soit enfin élaboré une véritable «politique judiciaire». Les magistrats syndicalistes comprennent de plus en plus nettement qu'un tel objectif ne pourra être atteint tant que le corps judiciaire n'aura pas acquis un poids politique suffisamment déterminant. Le peut-il par les voies traditionnelles? A l'évidence: non!»[7]. Une autre explication de cette irruption du syndicalisme dans la vie judiciaire réside dans le constat de l'insuffisante protection apportée au juge par son statut et la découverte que le cadre syndical lui offre des garanties supérieures et des possibilités d'action plus grandes.

L'émergence du syndicalisme: des débuts prometteurs

Hors de toute structure syndicale, la magistrature n'en était pas moins représentée, depuis 1945, par une organisation qui en avait le quasi monopole, l'Union Fédérale des Magistrats. Fonctionnant sur le moule juridique de l'association, elle se donnait pour but la préservation de l'indépendance de la magistrature et la défense de

---

7. L. Joinet, précité, in *La justice en question*, Cahiers de la NEF, p. 123.

ses intérêts professionnels. Le choix de la structure associative indiquait le souci de faire régner la concorde, la paix publique, de faire prévaloir la concertation sur la contestation, bref, de constituer un lien d'amitié permettant de lutter pour l'amélioration de la situation de la magistrature[8]. Très peu de temps après sa création, l'UFM s'était déjà interrogée sur l'opportunité de sa transformation en syndicat, sans se cacher que «le plus gros obstacle à vaincre chez nous réside dans l'hostilité d'un grand nombre de magistrats au principe syndical»[9]. Ce souhait de transformation fut repoussé à plusieurs reprises, notamment en raison de la crainte formulée par certains, d'encourir le grief de politisation. Pourtant cette idée devait faire peu à peu son chemin et aboutir, en 1974, à une approbation, à une très large majorité, de la transformation de l'UFM en syndicat. Les avantages présentés par la forme syndicale — (capacité juridique et droit d'action en justice plus large, représentativité accrue, protection spéciale accordée aux délégués) — l'emportant alors sur les préventions. Cette transformation avait, en outre, été facilitée par la consécration du syndicalisme judiciaire dans la jurisprudence du Conseil d'Etat[10], tout comme par le choix très net d'un syndicalisme autonome et apolitique. La spécificité du syndicalisme judiciaire avait été affirmée à l'USM dès l'origine car si les magistrats sont des salariés, ils n'en sont pas moins également les détenteurs d'une parcelle de la puissance publique et sont à ce titre, partie intégrante de l'Etat[11]. En 1975, le président de cette organisation n'ajoutait-il pas: «Cette spécificité exclut notamment tout engagement politique comme son rattachement à une centrale syndicale», et interdit au juge certains gestes, certains actes et certaines paroles et commande au syndicalisme judiciaire de ne pas user de formes d'action inconciliables avec cette mission. »[12]

Depuis 1945, l'UFM a ainsi mené une action obstinée sur trois terrains essentiels: l'amélioration des conditions matérielles de la justice, l'existence d'un Conseil supérieur de la magistrature réellement indépendant des pouvoirs et doté de prérogatives réelles, la garantie d'un statut protecteur pour le juge, notamment dans le déroulement de sa carrière. Cette action s'appuyait sur un effort de réflexion, en grande partie dû au président de l'UFM de 1971 à

8. M. Pauti, *Les magistrats de l'ordre judiciaire*, ENAJ, 1979, p. 231.
9. *Le Pouvoir Judiciaire*, sept. 1946 et déc. 1946.
10. Conseil d'Etat, arrêt Obrego, 1er décembre 1972.
11. *Le Pouvoir Judiciaire*, mars 1972.
12. *Le Monde*, 4 décembre 1975.

1974, J.L. Ropers, dont les idées devaient être pour l'essentiel reprises ultérieurement par le Syndicat de la Magistrature, dans une démarche et une perspective cependant radicalement différentes.

La satisfaction de voir réglées les questions matérielles les plus cruciales ne devait pas empêcher l'UFM d'être particulièrement critique à l'égard du Conseil Supérieur de la Magistrature issu de la Constitution de 1958, ainsi qu'en témoignent les propos tenus en 1965 par le président de ce mouvement: «le nouveau Conseil supérieur n'est même pas l'ombre de ce qu'était l'ancien. Quelles que soient la qualité de ses membres, la conscience qu'ils apportent à leur fonction et le courage même, dont ils font preuve, l'absence totale du pouvoir de décider, la rareté des occasions dans lesquelles peut s'exercer la faculté de proposer, font du Conseil supérieur un organisme que l'on a pris l'habitude de négliger; ceci ne pouvait être une surprise, les textes qui le régissent constituent une anthologie de tous les procédés que la technique met à la disposition d'un législateur pour vider une institution de sa substance, lui ôter tout pouvoir effectif, les moyens mêmes d'exercer un contrôle et jusqu'à la velléité d'avoir une influence»[13]. Dans une lettre au Garde des Sceaux, J.L. Ropers résumait ses critiques sur le CSM dans cette formule: «la constitution de 1958 a réduit ses pouvoirs; les textes d'application se sont efforcés d'en faire un simulacre d'institution».

Dans le même temps, le statut de la magistrature était dénoncé avec vigueur: «la politique de l'avancement suivie par la Chancellerie a trop souvent prouvé que certains privilèges primaient le véritable mérite, que l'esprit d'intrigue était préférable à la force de caractère, que l'inamovibilité n'est qu'un rempart illusoire pour le juge qui, malgré l'existence du CSM, dépend pratiquement pour sa carrière du bon vouloir du Ministre de la Justice».

Le Syndicat de la Magistrature, ou le cheval de Troie

La transformation de l'UFM en syndicat s'expliquait également par l'apparition du Syndicat de la Magistrature, dont le dynamisme le posait très rapidement comme une organisation concurrente. Né à la suite des événements de mai 1968, il apparut pour beaucoup porteur d'espoirs: l'action réformatrice de l'UFM n'allait-elle pas être confortée et amplifiée dans une démarche moins timide à

---

13. Cf. chap. 3, «La justice miséreuse».

l'égard du pouvoir et des puissants, rendue possible tant pas l'adoption de la structure syndicale, que par un style nouveau? Ne fallait-il pas se réjouir qu'à des propos trop souvent empreints de crainte révérentielle, «d'esprit maison», de timidité excessive, suc-cèdent des analyses sans complaisance tendant à mettre à nu la justice en la dépouillant de ses apparences trompeuses? Les hypocrisies et les faux-semblants démasqués plus nettement que par le passé, l'institution décrite sans fard dans son fonctionne-ment réel, allait-on enfin pouvoir la faire sortir, au-delà des mots, du néolithyque? Tout semblait le laisser penser au début. Les premiers congrès syndicaux contribuèrent avec éclat à rompre le silence paralysant dans lequel la justice était plongée et à sensibili-ser l'opinion publique sur une institution pleine de mystère. Le talent des premiers dirigeants syndicaux, la nouveauté de leur démarche joints au relais complice qu'ils trouvèrent dans certains médias, notamment le journal *«Le Monde»*, concurrurent à leur succès au point de devenir un des hauts moments de la vie judiciaire, puis même un événement parisien attendu...

Mais très vite, une autre vérité apparut qui avait été jusqu'alors masquée par l'enthousiasme des débuts. Il fallut déchanter: face à une majorité de «modérés» naïvement soucieuse de préserver l'indépendance de la justice face au pouvoir, d'assurer la liberté du juge dans son action et de donner à l'institution la plénitude de ses fonctions dans l'Etat, une minorité agissante et déterminée de syndiqués fortement politisés entendit mener à visage découvert le combat, non sur le terrain judiciaire, mais sur le plan politique et social; la justice n'était pour eux qu'un levier utile pour contribuer à un changement radical de société auquel ils aspiraient, de toute la force de leur croyance. Ainsi, une fraction située à l'extrême gauche, dans la tradition anarcho-syndicaliste française, jetait à bas le masque qui avait permis au syndicat d'entraîner de nombreux magistrats. A ceux qui s'étaient réfugiés dans l'attentisme, croyant à une crise de croissance passagère, le doute était de moins en moins permis tant le dogmatisme à forts relents marxistes tendait à devenir la doctrine officielle.

Comme toujours les modérés, moins soudés, parfois divisés sur la méthode à suivre, ne tardèrent pas à se décourager des manœuvres d'un noyau parfaitement organisé et assez habile pour s'être rendu détenteur de tous les leviers de commande syndi-caux, notamment en refusant le vote par mandat lors des congrès. Une grande partie de ces modérés, refusant de jouer les otages et les faire-valoir finit par partir, poussée d'ailleurs à la porte par des invectives dont celle de «réactionnaire» était la plus sympathique. Le syndicat avait fait sa «révolution culturelle».

Certes, le prix payé pour cette «purification» fut élevé: à partir de l'année 1976, les rangs syndicaux fondirent et les salles de congrès où l'on étouffait quelques années plus tôt parurent singulièrement vastes. Mais, l'essentiel était réalisé: la messe syndicale ne serait plus troublée par les propos incongrus et hérétiques de déviants «petits bourgeois».

Le syndicat devait pourtant continuer de jouer sur un certain flou doctrinal, refusant d'opter clairement entre les deux termes de l'alternative: contestation de l'ordre établi dans une perspective révolutionnaire et/ou contribution à une justice plus forte, au nom du pluralisme interne. C'est ainsi que lors du congrès de 1973 fut adoptée la motion suivant laquelle «... le débat a été ouvert sur le choix à faire entre la recherche d'une amélioration du contrôle de la justice par les citoyens et la contestation radicale de la légitimité du pouvoir, du droit et du juge». Onze ans après, le débat est apparamment toujours ouvert, en tout cas aucune motion n'est venue le clôre...

Cette ambiguïté, toute tactique, cette habilité fut et demeure encore, une des armes les plus efficaces du SM si bien qu'il serait irréaliste de lui demander d'y mettre fin. Habilité d'abord à usage interne, si l'on considère qu'annoncer la couleur risquait de mettre fin à l'illusion de nombreux syndiqués auxquels des actions ponctuelles apparemment généreuses, masquent des fins plus machiavéliques; habilité ensuite sur le plan de la stratégie syndicale rendue plus souple et plus adaptable par des modes de contestation de natures différentes qui ont permis au SM, lorsque le pouvoir n'avait pas ses faveurs, d'insister sur son manque de légitimité au regard de l'Histoire en marche, la crise de la justice ne participant alors que de celle, plus large, de la Société et de l'Etat «bourgeois». Ce qui lui permit aussi, lorsque survint un système de gouvernement plus conforme à ses vœux, de devenir son relai alors pourtant que tous les mécanismes de contrôle du pouvoir sur la justice perdurent — sauvant à peine les apparences par quelques surenchères ponctuelles. Telle fût du moins l'attitude syndicale dans les débuts du gouvernement de gauche, l'adhésion enthousiaste cédant la place à une froide réserve lorsqu'il s'avéra que tous les rêves projetés sur l'avènement d'un «ordre nouveau» avaient du mal à prendre forme. Ceci conduisit le garde des Sceaux, à exprimer, lors du congrès de 1982, sa peine devant l'indifférence que lui avait manifestée «la gauche judiciaire» (SIC). Naïveté feinte du ministre qui ne pouvait ignorer la stratégie développée depuis de nombreuses années par l'aile marchante syndicale pour laquelle l'avènement de la gauche au pouvoir ne devait pas signifier seulement alternance mais rupture avec l'ordre politique, économique et social existants, position que le SM n'était d'ailleurs pas seulement à soutenir au sein de la gauche[14].

Ces exigences liées à la volonté de ménager «le passage au socialisme» en modifiant les finalités comme le fonctionnement du système judiciaire ne se concrétisant pas, ou pas assez vite, on aurait pu s'attendre à des tensions importantes entre le SM et la Chancellerie. Mais la promotion de nombreux syndiqués et sympathisants dans les allées du pouvoir ou dans la hiérarchie judiciaire devait désamorcer, en partie, les vélléités de contestation qui se muèrent en critiques sur certains aspects de la politique suivie — circulaire sur les immigrés, absence de réforme du CSM notamment — Ironie du sort, il devait ainsi appartenir à des syndiqués de prouver la véracité du postulat posé par leur propre organisation et en vertu duquel «plus le magistrat avance dans le système et moins il le conteste»[15]. Quant au statut, tellement dénoncé depuis quinze ans, comme conduisant à un «gouvernement des juges par le président de la République»[16], beaucoup de syndiqués finirent par s'en accomoder, s'il faut en croire leur silence; ce statut leur permettait, le plus facilement du monde, de se métamorphoser à leur tour en hiérarques et des écrits tels que: «Il n'y a pas d'avancement sans demande. La direction des services judiciaires défait, désorganise les juridictions, toute entière occupée de savoir qui sera où»[16 bis] auraient pu sembler être une confession à la chinoise... s'ils n'avaient été antérieurs à mai 1981.

Toute l'histoire syndicale ainsi résumée importerait peu si l'apparition du syndicat de la magistrature ne s'était soldée pour la justice française par des conséquences négatives considérables et durables. Celles-ci sont d'ailleurs parfaitement perçues par un auteur proche de cette organisation. G. Masson écrit, en effet, dans *«Les juges et le pouvoir»*: «traditionnellement homogène par suite de l'adhésion implicite de tous ses membres à une même échelle de valeurs juridiques et de principes professionnels, la magistrature est, depuis 1968, traversée par une lutte idéologique de classes qui fait d'elle un corps divisé où s'affrontent des conceptions contradictoires sur le rôle du juge dans l'appareil judiciaire». De fait, le SM, aussi marginal soit-il, a contribué, atteignant en cela le but qu'il s'était fixé, à diviser le corps judiciaire, à provoquer, selon sa propre expression «une crise de légitimation de la justice». Ainsi, il a joué le rôle du «Cheval de Troie» dans l'institution.

---

14. Sur ce thème Ph. Boucher, «La gauche et ses juges», *Le monde*, 5 nov. 1982.
15. *Au nom du peuple français*, p. 16.
16. et 16bis. *Justice sous Influence*, pp. 191-192.

Un certain pharisaïsme

Les excès du Syndicat de la Magistrature ne devaient pas être étrangers à la création, en 1982, de l'Association Professionnelle des Magistrats, nouvelle source de division dans un corps affaibli et qui ne peut se passer de consensus.

Mobilisant ses membres sur des thèmes tels que l'indépendance et la neutralité, tout, dans sa démarche, la distinguait de l'USM. Rejetant la structure syndicale mais réclamant le bénéfice des droits syndicaux, elle reprenait à son compte, comme leitmotiv, une conception fort ancienne et non exempte de pharisaïsme qui a pourtant exercé des ravages considérables dans la justice: l'indépendance résiderait moins dans les institutions que dans les traditions et le courage. Elle se définissait essentiellement par réaction au Syndicat de la Magistrature et à la politique suivie depuis 1981, ce qui faisait dire à ses dirigeants que si elle voulait se faire entendre «c'est parce-que d'autres, parlant trop fort, nous ont réveillés». Elle risquait de la sorte de prêter le flanc au grief de politisation qu'elle se plaisait pourtant à dénoncer ailleurs. La volonté d'accorder la priorité au thème de la sécurité pouvait sembler n'être qu'un prétexte de contestation politique du fait de la personnalité de certains de ses membres trop impliqués et marqués par les postes de responsabilité qu'ils avaient occupés avant 1981 dans les allées du pouvoir, mais également par le caractère trop systématique, voire excessif, de ce qui devenait une véritable croisade sécuritaire.

Le Bilan: une suspicion renforcée

Diviseur à l'intérieur, le Syndicat de la Magistrature contribua à jeter la suspicion sur l'Institution dans l'opinion; en effet, toute décision finit par n'être plus perçue au travers de son contenu objectif mais par l'appartenance philosophique et politique des juges qui l'avaient rendue. Si des magistrats se déclaraient «de gauche» et entendaient se conduire comme tels dans leur pratique professionnelle, c'est que les autres étaient «de droite» et rendaient une «justice bourgeoise». Ce sophisme fit des ravages. Ravages d'autant plus grands que les médias ne manquèrent pas d'enfoncer le clou en parlant couramment des «petits juges», des «juges rouges», des «juges conservateurs» ou des «juges modérés», qualificatifs rassurants pour les uns, effrayants pour les autres... Comment ne pas voir le péril d'une démarche réduisant l'intervention judiciaire à une affaire de préjugés et à la manifestation de la lutte des classes. Par ailleurs, était-il souhaitable, ainsi que le faisait remarquer J.L. Ropers «que les porte-parole des magistrats soient du côté des accusateurs dans le procès permanent qui est fait à notre justice... Faut-il toujours battre notre coulpe, alors que la plupart du temps, nous n'avons rien à nous reprocher, ou qu'en tous cas, nous avons bien des arguments à faire valoir pour notre défense... la fragilité de notre fonction devrait nous garder de raviver les fureurs révolutionnaires à l'encontre des juges, en utilisant la presse pour dire au parlement comment il doit voter la loi».

Le pouvoir avait été attaqué de front, dans sa légitimité, à travers la loi et les normes juridiques qu'il secrète, par ceux-là même qui ont mission de les appliquer et l'occasion qui lui était donnée de rabaisser l'ensemble du corps judiciaire, sous le prétexte de la contestation bruyant de quelques-uns, était trop belle pour qu'il ne la saisisse pas. L'alibi syndical devait lui donner l'opportunité de porter à la justice des coups redoutables dont elle devait sortir durablement affaiblie: la répétition de concours d'entrée exceptionnels, réservés aux non étudiants renforcés par un recrutement latéral élargi, toutes procédures dérogatoires, visaient à disposer d'un corps moins jeune et donc présumé plus mature, en tous cas plus obéissant. L'Ecole Nationale de la Magistrature, jugée trop bruyante, considérée comme la source de la contestation et dès lors objet de la suspicion ministérielle, n'était bien entendu pas étrangère aux mesures prises; son rôle fut d'ailleurs amoindri par la réduction de la scolarité au profit des stages sous le prétexte fallacieux de la nécessité impérieuse de pourvoir rapidement les postes vacants; le but recherché était en réalité de limiter le rôle de l'ENM dans le recrutement des juges.

L'existence même du syndicalisme fut remise en question avec la proposition de loi organique dite proposition Gerbet. Sous le prétexte d'élargir l'obligation de réserve en l'étendant aux groupements et organisations syndicales de magistrats, cette proposition instaurait des interdictions tellement strictes que toute prise de position publique d'un syndicat semblait pouvoir constituer un manquement à l'obligation de réserve; l'exposé des motifs était d'ailleurs dépourvu de toute ambiguïté affirmant qu'en France, la politique étant en puissance dans le syndicalisme, il paraît difficile, voire même impossible que le droit syndical puisse être exercé par les magistrats à moins qu'il ne s'agisse d'un syndicalisme «sélectif». Il était révélateur que seule l'action du syndicat de la magistrature était visée par M. Gerbet qui n'estimait pas tolérable la motion de son congrès de 1976 appelant à la grève ou encore ses prises de position sur des projets de loi en préparation. Ce n'est qu'en raison de l'opposition vigoureuse de l'USM que le

Ministre de la Justice, M. Peyrefitte, fit retirer cette proposition de l'ordre du jour.

Autant de tributs payés à une action souvent irresponsable, toujours partisane, parfois masochiste, et dont les excès étaient d'autant plus graves qu'ils négligeaient la méfiance traditionnelle de la classe politique française à l'égard du judiciaire, comme l'indifférence de l'opinion publique pour sa justice.

Le syndicat s'était, malgré des dénégations peu convaincantes, laissé enfermer dans un choix politique partisan. Aussi, il ne faut pas s'étonner que le nouveau gouvernement, après les élections de 1981, ait essayé de récupérer la fraction de gauche de la magistrature et qu'il se soit méfié de ceux qui ne trouvaient pas plus de raisons qu'auparavant de manifester leur adhésion à l'idéologie du pouvoir en place, en cela vite soupçonnés de pratiquer l'obstruction au nom de leurs préjugés politiques «de classe». Il est vrai que le Syndicat, dans toutes ses démarches prospectives sur l'avènement messianique d'un pouvoir de gauche, s'était toujours beaucoup inquiété des résistances qui pourraient se faire jour sans la justice, de la part de ceux qui s'opposeraient alors à la remise en cause de «l'ordre ancien». Il confortait ses craintes sur l'exemple de la magistrature chilienne qui avait considérablement affaibli le régime de l'Union Populaire en se fondant sur la légalité héritée de la période précédente, détournant ainsi le sens de la légalité nouvelle[17]. Si cette référence participait d'une culture politique bien sommaire, en transposant à la France une situation révolutionnaire tiers-mondiste, elle avait le mérite de démasquer la stratégie de ses auteurs qui se révélaient incapables de concevoir la magistrature autrement qu'en terme d'alliée ou d'adversaire du pouvoir; bref, le syndicat de la magistrature ne pouvait imaginer d'autre démarche que celle qu'il avait menée ni d'autre stratégie que celle qu'il avait conduite.

Tous ces excès montrent la nécessité de parvenir à un nouveau point d'équilibre que l'esquisse du rôle du juge peut contribuer à atteindre.

Le rôle du juge

Les postulats laissent l'homme moderne insatisfait et les symboles ne lui parlent plus. La neutralité du juge est un de ces postulats, et la justice impassible un de ces symboles.

---

17. G. Masson, précité, *Les juges et le pouvoir*, p. 12, préface Charvet.

Justice et sacré

Pendant des siècles, la représentation de la Justice a pris les traits d'une déesse marmoréenne indifférente aux passions humaines, figée dans une sorte de refus de s'émouvoir. L'institution, ainsi sacralisée, était considérée comme retranchée du monde et le juge, son «prêtre» désincarné pour n'être plus que l'occupant sans passion d'un temple où ne parvenaient que très étouffés les bruits extérieurs. La philosophie dominante correspondait à cette image en tenant la neutralité de la justice comme une qualité immanente à sa nature. Si cette symbolique judiciaire avait son utilité lorsqu'elle répondait aux exigences et aux valeurs d'une époque, sa perpétuation devait se révéler à la longue préjudiciable: cette sacralisation dispensait alors commodément de dénoncer les faiblesses de l'institution comme les insuffisances des hommes et constituait un obstacle à son indispensable rénovation.

A l'opposé du symbole, tout semble démontrer que la justice, loin d'être coupée du monde, s'y trouve entièrement plongée: toutes les passions du temps s'y retrouvent, tous les débats de l'époque s'y déroulent. L'histoire judiciaire récente le montre amplement, au point d'ailleurs de faire apparaître notre temps presque morne si l'on considère la violence des débats, aujourd'hui inconcevables, qui animèrent alors les tribunaux, lieu naturel et privilégié des luttes politico-sociales sous les Républiques précédentes, en particulier la Troisième. Que l'on se souvienne du retentissant procès Wilson, du nom du gendre du Président de La République Jules Grévy à la suite d'un trafic de décorations ou des retombés judiciaires de la loi de séparation de l'Eglise et de l'Etat qui enflammèrent le prétoire et déchirèrent l'opinion ou encore de la violence des invectives auxquelles donna lieu «l'affaire des fiches» qui révéla les conditions dans lesquelles le Général André, ministre de la guerre, faisait espionner les officiers qui avaient une pratique religieuse. Avec l'affaire de Panama, un trafic d'influence au plus haut niveau fut mis sur la place publique: il apparut que ministres et députés avaient été achetés afin qu'intervienne un vote de la chambre pour une souscription publique; que dire de l'affaire Dreyfus qui vit le langage du temps perdre toute mesure! Plus près de nous, le procès Stavisky, qui ébranla la République, devait devenir un modèle du genre «scandale politico-financier» en offrant un scénario inégalé, même dans le cinéma italien. Que l'histoire d'une époque se trouve ainsi résumée dans l'histoire judiciaire qui la reflète n'a rien d'étonnant: lieu d'aboutissement des affrontements politiques, économiques, sociaux qu'elle doit réduire et des conflits qu'elle doit résoudre, la justice est nécessairement au milieu du tumulte et le juge placé sur le devant de la scène de sorte que l'attitude hiératique de «Thémis» semble plutôt relever de l'exorcisme.

Pourtant, ce n'est pas un hasard si cette représentation de la justice, liée à l'origine sacrée de l'institution perdure dans notre société devenue largement athée et si, ni l'histoire et ses bouleversements, ni les changements considérables des mentalités ne peuvent entamer sérieusement le mythe. Quelle est donc la raison impérieuse de cette constance?

La neutralité du juge comme impératif démocratique

Si la neutralité sociale et politique de la justice constitue un principe essentiel de son fonctionnement ce n'est pas pour d'obscures raisons métaphysiques mais parce qu'elle découle nécessairement du type de société dans laquelle nous vivons depuis 1789. Elle s'impose par la conception du rôle de la justice dans le modèle politique qui nous régit. Dans une société démocratique, c'est-à-dire pluraliste, traversée de courants nombreux et divers, comment le juge pourrait-il prendre parti publiquement dans l'exercice de sa mission alors que celle-ci en fait un arbitre?

A cet égard, le «choix du camp», idée chère au syndicat de la magistrature, soit constitue une erreur fondamentale, soit traduit la volonté délibérée de saper les bases mêmes du système politico-social, et met le doigt dans l'engrenage du totalitarisme en introduisant au sein de la justice démocratique une démarche radicalement contraire à sa logique et à ses fondements.

Dans une société qui affirme le primat de l'individu et garantit constitutionnellement sa liberté — notamment de conscience et de croyance — où l'Etat n'est considéré que comme un moyen et non comme une fin, dans un système où n'existe nulle vérité officielle ni messianisme contraignant, bref dans un état de droit, la neutralité de la Justice s'impose plus encore que celle de l'enseignement, de la fonction publique ou de l'information. Serait-il choquant que le justiciable refuse d'être jugé par celui qui l'a condamné avant même de l'entendre? Cet impératif de neutralité est d'ailleurs tellement évident que tout notre cadre institutionnel consiste à le garantir à travers des règles qui, pour être souvent insuffisantes et inadaptées, parfois illusoires, n'en sont pas moins indispensables. Celles-ci constituent une limite, fût-elle théorique, aux abus dont le Pouvoir peut se rendre coupable — pour peu que le citoyen exige leur exercice effectif et que le juge dénonce leur violation — en le contraignant à rompre ouvertement avec la légalité dont il se réclame par ailleurs.

Parce qu'en démocratie, l'Etat n'est pas considéré comme la valeur transcendante à laquelle toutes les autres se trouveraient subordonnées, il se voit limité dans son action comme dans ses prérogatives par le principe de séparation des pouvoirs qui tend à éviter les empiètements de l'exécutif ou du législatif sur le cours de la justice; la règle constitutionnelle d'inamovibilité des magistrats du siège favorise leur indépendance à l'égard des pressions du Pouvoir; enfin, le principe de non rétroactivité des lois contraint la puissance législative ou exécutive à n'agir que dans la limite d'un droit préexistant à son intervention. Tous principes étrangers aux régimes totalitaires fascistes ou marxistes dans lesquels la neutralité du juge se trouve nécessairement niée parce qu'antinomique avec l'essence même de ces systèmes. Dans les premiers, l'Etat, omnipotent, réputé ne pouvoir mal faire, valeur suprême de référence, ne saurait tolérer que les institutions judiciaires constituent une quelconque entrave à son action. Le Garde des Sceaux de l'Italie fasciste présentait le système judiciaire en ces termes: «Il n'est pas important pour la pensée juridique moderne que la juridiction constitue un pouvoir autonome à l'égard de l'Etat puisqu'elle doit aussi se conformer aux directives prises par le gouvernement pour l'exercice de toutes les fonctions publiques». Dans les seconds, le juge, au service du «prolétariat» doit exercer ses pouvoirs conformément à la conscience socialiste du droit; ce qui explique la déclaration du procureur général Vichensky: «comme n'importe quel organe du pouvoir soviétique, l'appareil judiciaire est un organe effectif de la politique soviétique, la justice soviétique vise le même but que les autres organes soviétiques.»[18]

L'analyse marxiste de la justice bourgeoise est particulièrement intéressante puisqu'elle débouche sur la négation du principe de neutralité du juge. Ce principe est dénoncé comme l'alibi moral qui masque la réalité que constitue la justice de classe dans un état capitaliste où la classe sociale dominante, la bourgeoisie, se sert de la justice, comme de l'Etat, pour asseoir sa domination sur les classes exploitées. Le droit n'est plus alors que la codification des normes qui traduisent les rapports de production. Et, le juge ne peut être, quelle que soit sa bonne foi, que l'agent de la bourgeoisie puisqu'il est de sa fonction d'appliquer les règles juridiques qu'elle établit pour elle-même et dans son seul intérêt.

Nombre de critiques formulées sur le rôle du juge, particulièrement depuis 1968, découlent directement d'une telle conception.

---

18. Cité par J.L. Ropers, in *Au service de la pensée judiciaire*, p. 50.

La plus courante consiste à affirmer que les magistrats, par leur appartenance sociale, par leur situation de «classe» adhèrent à l'ordre social et se réfèrent à l'idéologie dominante de telle sorte que «la justice manifeste le plus sûr dessein d'organisation oppressive de la société en faveur de ceux qui y occupent les premières places»[19].

La force d'une telle analyse réside en ce qu'elle ne peut pas être sérieusement critiquée si l'on se place sur le terrain de leurs auteurs puisqu'elle s'intègre dans le corps très cohérent d'explication de l'homme, de la société et de l'histoire que constitue le marxisme. Autant demander à un athée de refuter tel point de la doctrine catholique à partir des évangiles! Que l'on abandonne cette grille d'interprétation pour se placer dans la perspective d'une société démocratique, fondée sur le pluralisme et le principe d'alternance qui en est le moyen de réalisation, et la réponse devient possible: bien sûr, le juge se réfère à l'idéologie dominante qu'exprime le suffrage universel; bien sûr, par sa fonction dans la société et par la nature même de sa mission, il adhère tout naturellement aux valeurs communément admises et œuvre à leur réalisation concrète. Parce que la justice est rendue «Au nom du peuple français», elle doit être l'expression la plus fidèle possible de la société où elle s'insère et le juge doit nécessairement se référer à l'échelle des valeurs admise au moment de son intervention: en effet, la justice «n'a pas le devoir d'être héroïque, ni révolutionnaire, ni de défier son temps. Elle n'a pas mission de modifier la société ni d'exprimer une autre hiérarchie des valeurs que celle du monde où elle remplit sa tâche»[20].

Parce que ce principe de neutralité se révèle comme une évidente nécessité dans l'état démocratique, il est apparu plus habile à ceux qui le contestent de ne plus chercher à l'attaquer de front mais à le contourner, en le vidant de son sens; les attaques se concentrant alors sur ses limites ainsi que sur les difficultés de sa mise en œuvre. Le fait que les juges dépendent dans une large mesure de l'exécutif, que le parquet est parfois un agent muet de ce dernier au détriment de sa mission de serviteur de la loi, que la carrière et le phénomène hiérarchique constituent autant de contraintes et de conditionnements peut faire douter de la neutralité politique de la justice. Le coût élevé des procès et la lenteur des procédures peuvent décourager les uns de faire valoir

---

19. *Au nom du peuple français*, p. 23.
20. J.D. Bredin — R. Badinter, in *La justice en question*, Cahiers de la NEF, janvier-mars 1970, p. 48.

leurs droits et inciter les autres à recourir abusivement à l'institution dans un but dilatoire; une justice pénale plus adaptée à réprimer une délinquance misérable que celle des puissants peut faire douter de sa neutralité sociale. Bien sûr, ces dérives existent parfois et doivent être dénoncées, mais faut-il pour autant rejeter le principe fondamental sous le prétexte de ses insuffisances alors que les solutions sont à portée de la main pour lui donner toute sa valeur? En outre, la notion de neutralité n'a de sens que si elle est appréciée et évaluée relativement à un état donné des rapports sociaux et dans le cadre institutionnel existant qui sont autant de références obligées pour le juge. Si la neutralité absolue postule une société parfaite, qui reste du domaine de l'utopie, aiguillon indispensable de tout progrès, la réalisation de cette cité n'est pas de la compétence du juge mais du politique. Les lois que le juge est chargé d'appliquer sont nécessairement conçues dans une certaine perspective de l'orientation de la société. Elles bornent son action et il ne peut s'en affranchir qu'au prix d'une démarche par définition tyrannique et anti-démocratique car il n'est pas juge de droit divin, détenteur d'une vérité révélée. Il faut approuver un ancien premier président de la Cour de cassation lorsqu'il déclarait qu'«une prise de position publique contre la loi priverait le juge de ce capital irremplaçable d'impartialité et de neutralité qui fait sa force. Lorsque le plaideur se présente, il doit être assuré que la loi sera appliquée pour lui ou contre lui, mais sans restriction ni arrière pensée. Si le juge a proclamé son hostilité à la loi, le plaideur sera tenté de le récuser. Alors, ce sera la fin de la justice»[21]. Le respect de la légalité ainsi conçue a en outre pour mérite, par un paradoxe qui n'est qu'apparent, d'être un facteur de progrès et non d'immobilisme: «gommer» la loi existante contribuerait à paralyser les pouvoirs, car le législatif comme l'exécutif pourraient être tentés de ne pas prendre les responsabilités qui sont les leurs face au corps électoral dès lors que l'action du juge rendrait leur intervention moins indispensable. On sait que la loi de 1920 sur l'avortement, récemment abolie, avait eu pour conséquence de frapper les femmes de condition modeste puisque celles issues des couches aisées de la population pouvaient avoir recours à une intervention chirurgicale pratiquée à l'étranger, suivant des filières bien connues et en toute impunité. Une telle loi, devenue aussi contraire à la neutralité sociale devait-elle être écartée par les tribunaux au nom de la plus élémentaire équité? Si des condamnations de principe n'avaient pas continué à être

---

21. Maurice Aydalot, Discours de rentrée de la cour de cassation 1973.

prononcées, scandalisant une partie de plus en plus large de l'opinion publique et suscitant des campagnes de presse finalement relayées par le corps politique, cette loi aurait longtemps encore «occupé» le Code pénal. Dans une société complexe comme la nôtre, de multiples autorités sont conduites à intervenir, chacune dans sa sphère d'activité dotée chacune de pouvoirs spécifiques et d'une responsabilité propre et il est toujours périlleux que l'une intervienne pour pallier les insuffisances des autres. Vient alors un jour où c'est l'ensemble du système qui ne fonctionne plus.

Le juge et la loi

S'il ne peut aller contre la loi sans nier la souveraineté du parlement, le magistrat n'est pas pour autant cantonné dans le rôle de serviteur passif de celle-ci. Dans une société moderne caractérisée par des rapports de force aussi multiples que changeants, la justice ne peut être immobile, figée, uniquement soucieuse de statu quo; son intervention doit être au contraire dynamique pour prendre en compte l'évolution accélérée de toutes les données sociales, économiques, techniques, comme les aspirations morales des hommes. Sinon, perpétuellement déphasée par rapport au monde sur lequel elle prétend agir, elle s'expose à ne pouvoir remplir le rôle fondamental de médiation des conflits qui est le sien et se borne à n'être «qu'une intelligence sans passion.»[22]

Les principes révolutionnaires voulaient, par mesure de défiance envers le judiciaire, que l'interprétation de la loi, en cas de contradictions exprimées dans l'appareil judiciaire, soit réservée au corps législatif. Depuis ce temps, le chemin parcouru est considérable lorsque l'on constate que nul ne conteste plus le large pouvoir d'appréciation dont dispose le juge dans l'interprétation des normes juridiques comme dans la définition de notions juridiques aussi indéterminées que le sont les bonnes mœurs, la bonne foi, etc. Parce que la décision que prend le juge ne lui est pas impérativement dictée par la loi, parce qu'il exerce un pouvoir non subordonné et dans la mesure où il a à prendre parti par référence à une conception de la société et de l'homme, l'on a pu dire qu'il exerce un pouvoir politique[23].

---

22. P. Arpaillange, précité, *La simple justice*, p. 70.
23. J.L. Ropers, in *Au service de la pensée judiciaire*, p. 56.

Ce pouvoir le conduit à adapter la loi, tantôt en atténuant sa portée, tantôt en accentuant ses effets, non seulement pour l'adapter au monde changeant qu'elle régit, en un mot pour l'actualiser, mais également pour veiller à assurer la plus grande égalité possible des citoyens devant elle. Sans cette ardente nécessité, la justice se dissout dans le droit, alors que le rôle du magistrat est précisément selon la formule admirable d'A. Malraux de «transformer le droit en justice». En 1977, un magistrat avait déclaré dans une harangue que des poursuites disciplinaires contribuèrent à rendre célèbre: «Pour maintenir la balance entre le fort et le faible, le riche et le pauvre qui ne pèsent pas d'un même poids, il faut que vous la fassiez un peu pencher d'un côté... ayez un préjugé favorable pour la femme contre le mari, pour l'enfant contre le père, pour le débiteur contre le créancier, pour l'ouvrier contre le patron, pour l'assuré contre la compagnie d'assurances de l'écraseur, pour le malade contre la sécurité sociale, pour le voleur contre la police, pour le plaideur contre la justice».

Si ce discours était contestable, dès lors qu'il laissait accroire que le juge est guidé par des préjugés et des parti-pris, antinomiques avec la démarche qui doit être la sienne, il ne faisait pourtant que traduire, involontairement peut-être, une évidence. Le juge est en effet avant tout le protecteur des faibles et des opprimés et contribue à ce que ceux-ci se voient reconnaître leurs droits, dès lors qu'ils peuvent y prétendre, en rétablissant par une attitude vigilante, une disponibilité très grande, un effort de compréhension accru, une égalité réelle entre les parties. Faut-il d'ailleurs rappeler qu'Aristote déjà estimait qu'il n'est pas de plus grande injustice que de traiter également des choses inégales?

Concrètement, l'égalité devant la loi suppose de faciliter l'accès à la justice de telle sorte que nul ne soit contraint de renoncer à ses droits faute d'avoir les moyens de les faire valoir; mais elle implique aussi que durant le procès les inégalités naturelles ou sociales ne constituent pas un handicap de nature à fausser la balance en favorisant les uns et en pénalisant les autres. Les réformes successives sur l'aide judiciaire ont largement ouvert la porte du prétoire à tous ceux qui veulent y accéder; des efforts d'information ont été faits dans les palais pour accueillir et renseigner; l'information juridique a été développée notamment par l'instauration de consultations juridiques gratuites[24]. Il est dès lors fâcheux que l'institution judiciaire, à travers son organisation interne, semble traduire des différences de traitements et de

---

24. Essentiellement prises en charge par les avocats.

comportements selon les catégories de justiciables qui ont recours à elle. La hiérarchie de fait entre chambres à l'intérieur des palais, la considération attachée à l'appartenance aux chambres «nobles» comme à certaines sections du parquet, la défaveur dont jouissent par contrecoup les autres chambres et les autres sections censées s'occuper d'affaires intellectuellement moins intéressantes et moins gratifiantes et considérées dès lors par ceux qui y sont affectés comme un lieu de «purgatoire». La consécration de ces différences jusque dans le choix des locaux, souvent dorés pour les premiers, parfois misérables pour les seconds ne laisse pas d'être choquante. Il serait souhaitable que cette ségrégation fondée sur des habitudes anciennes cesse pour que les esprits puissent évoluer et pour que la justice n'alimente pas elle-même la suspicion dont elle est l'objet.

Les limites du légalisme

Mal perçue, la neutralité a surtout été caricaturée sous la forme d'un relativisme et d'un légalisme absolus érigés en dogmes, alors que ses limites naturelles la préservent des dangers dont on la pare pour mieux la rejeter.

L'apolitisme du juge ne peut signifier mutisme et résignation à l'égard de tout pouvoir, quelle que soit sa nature. Il a été démontré comment une telle conception, en plaçant la magistrature au-delà du combat pour ou contre l'Etat démocratique, en réduisant l'Etat à un «appareil représenté avant tout par la fonction publique, vidé de ses impulsions sociales, obéissant à la loi bureaucratique qui lui est immanente»[25], en faisant du juge un serviteur du droit en tant que tel, avait eu une portée considérable en permettant à une partie de la magistrature allemande de ne pas opposer de résistance au régime national socialiste dont elle finit par devenir le serviteur docile.

La même conception entraîna des magistrats de l'Italie faciste à adopter un conformisme résigné qui les conduisit à tenir pour normaux les ordres venus d'en haut, avant que, n'abandonnant leur réserve traditionnelle, ils ne manifestent leur attachement enthousiaste à Mussolini; cette même conception explique, en partie, que la justice française, sous le régime de Vichy, ait écrit la page la plus noire de son histoire.

---

25. Kubler, in *Justice et politique*, p. 154.

La neutralité politique interdit la prise de position partisane dans l'acte de juger, démarche par nature antinomique avec le système démocratique. Mais que celui-ci vienne à être menacé et il serait alors du devoir des magistrats, comme de tout citoyen, de le défendre. C'est que la justice est dénaturée lorsqu'un Etat se dresse derrière elle pour imposer ses vues en lui dictant ses décisions et le juge ne saurait lui permettre, par sa passivité, de sauver les apparences en lui apportant la caution du droit mis au service de la tyrannie.

Un magistrat trahit sa fonction lorsqu'il se fait l'instrument docile du pouvoir; il se renie lui-même lorsqu'il se fait le complice d'un pouvoir illégitime. L'histoire sinistre des sections spéciales, lors de la dernière guerre constitue, à cet égard, une leçon qui ne devrait jamais être oubliée tant elle illustre la lamentable confusion des genres à laquelle conduit l'inféodation de juges au pouvoir: un officier de marine allemand ayant été abattu le 21 avril 1941 dans le métro de Paris par des résistants, les autorités d'occupation firent savoir le surlendemain qu'elles ne renonceraient à leur projet de fusiller cinquante personnes en représailles que si, avant le 28 avril, six condamnations à mort pour activité communiste étaient prononcées par un tribunal français. Le conseil des ministres du lendemain, présidé par le Maréchal Pétain, accepta de satisfaire aux revendications allemandes et décida que six militants communistes déjà condamnés seraient jugés par une juridiction spéciale. Le ministre de la justice, Barthélémy, s'indigna d'une atteinte aussi flagrante au principe de non rétroactivité de la loi pénale — les autorités allemandes elles-mêmes en furent étonnées — mais finit par s'incliner. La loi, rédigée par Gabolde, Procureur général de l'Etat Français fut publiée au Journal Officiel du 25 avril, elle était datée du... 14 avril précédent. La procédure suivie devant les sections spéciales qui étaient créées était particulièrement expéditive et aucun recours n'était prévu contre ses jugements qui étaient immédiatement exécutoires. La section spéciale de la cour d'appel de Paris prononça trois condamnations à mort contre des personnes qui avaient été choisies par le parquet, ainsi qu'une peine de travaux forcés à perpétuité en raison de la menace brandie par plusieurs magistrats de refuser de siéger. Le pouvoir n'avait pas trouvé dans la magistrature beaucoup de candidats prêts à exécuter ses basses besognes. Aussi, fut créé le Tribunal d'Etat, le 7 septembre 1941. En son sein, les magistrats se trouvaient en minorité. Cette juridiction condamna à mort les deux inculpés qui n'avaient pas pu être jugés par la section spéciale. Elle fut relayée plus tard par les cours criminelles extraordinaires, les cours martiales, les tribunaux de maintien de l'ordre, organismes qui ne comprenaient plus de magistrats dans leur composition, laquelle était laissée à la discrétion du secrétariat général au maintien de l'ordre[26]. Mais la participation de quelques-uns, mus par l'ambition, la lâcheté, le fanatisme ou un sens dévoyé de l'état à ces simulacres de justice devait jeter, durablement, l'opprobre sur l'ensemble du corps jusqu'à faire oublier ses actes d'héroïsme et de courage.

La perte de toute dignité par les uns ne sauraient occulter le martyre de René Parodi, substitut au tribunal de la Seine, mort des suites de ses tortures, sans avoir parlé, ni les nombreux magistrats arrêtés, condamnés à mort, déportés en Allemagne. Ceci permit au Garde des Sceaux, à la Libération, de dire que peu de grands corps de l'Etat avaient été aussi atteints[27].

Une autre leçon à tirer de l'Occupation est que la justice ne peut jamais faire bon ménage avec la raison d'Etat qui en est sa négation. La seconde conduit à s'affranchir des moyens pour atteindre un but prédéterminé, réputé répondre à une impérieuse nécessité, alors que la première ne peut, à moins de se déconsidérer, se prononcer sans avoir respecté scrupuleusement les règles de procédure qui s'imposent à elle comme les lois qui seules lui dictent sa décision. «La raison d'Etat donne l'affaire Dreyfus, l'intérêt supérieur de l'Etat les sections spéciales, et l'une comme l'autre ont toujours et partout anéanti la justice»[28]. On se souvient que dans une déclaration radiodiffusée en 1968, M. Pompidou, alors premier ministre, avait annoncé avoir fait libérer des manifestants avant que le tribunal ne se soit prononcé. Si une déclaration aussi stupéfiante replacée dans le contexte insurrectionnel de l'époque incite plus à la réflexion qu'aux pétitions de principe simplistes, force est de constater que l'on touche ici aux limites de l'état de droit: l'autonomie du judiciaire est niée par sa subordination à des valeurs qui lui sont transcendantes.

C'est dans cette perspective que doit être replacée la création de la Cour de Sûreté de l'Etat, le 11 janvier 1963. Conçue comme le moyen juridique permettant de faire face, le cas échéant, à une subversion, elle répondait à l'idée «que les magistrats doivent prendre conscience qu'il est de leur devoir de défendre l'état honnêtement et utilement»[29]. La création de cette cour fût vivement combattue. Ainsi, François Mitterrand estima qu'il s'agissait d'une pâle caution judiciaire et que cette juridiction reflétait une

26. G. Masson, précité, *Les juges et le pouvoir*, p. 174.
27. G. Masson, *Les juges et le pouvoir*, p. 176.
28. P. Arpaillance, *La simple justice*, p. 98.
29. M. Debré, *Au service de la Nation*, Stock, 1963, p. 218.

conception monarchique de la justice et institutionalisait la raison d'Etat[30]. Cette nouvelle juridiction était compétente pour les crimes et délits contre la sûreté de l'Etat et pour les crimes et délits de droit commun en relation avec une entreprise individuelle ou collective tendant à substituer une autorité illégitime à l'autorité de l'Etat. Elle était composée dans sa formation de jugement de magistrats et d'officiers et soumise à des règles de procédure particulières, notamment en ce qui concerne sa saisine réservée au gouvernement, et la durée de la garde à vue dérogatoire au droit commun. Elle ne pouvait donc pas ne pas susciter gêne et suspicion tant le souvenir fâcheux des juridictions d'exception de la guerre était encore présent dans tous les esprits, et aussi inquiétude en raison de la porte alors ouverte aux abus possibles dès lors que ses membres se trouvaient sous la dépendance entière du pouvoir.

On ne peut donc qu'approuver la suppression de la cour de sûreté de l'Etat, en 1983, même si les «conditions dans lesquelles elle a fonctionné n'ont de l'avis général pas prêté lieu à la critique»[31], tant il est regrettable qu'un état démocratique se dote, lorsque la situation ne l'impose pas impérativement, d'armes dont l'existence serait une aubaine pour un pouvoir moins scrupuleux et moins soucieux des libertés. Il y a toujours quelque contradiction pour un gouvernement à rendre hommage à l'indépendance de la justice tout en en créant une autre dotée d'une procédure, d'une composition de règles de fonctionnement dérogatoires et répondant à une finalité différente.

En outre, est-il sain d'écarter le juge naturel de questions aussi fondamentales, pour l'Etat et le citoyen, qui concernent la nécessaire conciliation de la protection des libertés individuelles avec l'intérêt général qui en est la limite? L'expérience a toutefois révélé, essentiellement dans le domaine du terrorisme, l'intérêt qu'il y aurait à centraliser les poursuites — comme cela existe dans certains secteurs de la délinquance, économique notamment — tout en restant dans le cadre strict du droit commun. L'efficacité de la répression le commande, en mettant un terme à l'éparpillement que la pratique ne peut que déplorer. La défense des libertés y gagnerait car l'impuissance de la justice à coordonner et diriger se traduit tout naturellement par un transfert de ses compétences aux services de police et au-dessus d'eux, à l'exécutif.

---

30. Cité par G. Masson, *Les juges et le pouvoir*, p. 408, cf. Débat AN3/1/1963 JO p. 222.
31. R. Pléven, Déclarations à l'AN du 28 mai 1970.

La deuxième limite, d'importance, de la neutralité du juge et de l'obligation de réserve qui en est le corrolaire, réside dans le syndicalisme judiciaire, dont l'essence même est de dénoncer toute atteinte portée par le politique aux libertés comme à l'indépendance de la magistrature, l'apolitisme signifiant seulement que ces atteintes sont dénoncées d'où qu'elles viennent. Ce fût l'acquis essentiel du syndicat de la magistrature d'avoir mis fin au silence paralysant dans lequel la justice se trouvait plongée, permettant l'instauration d'un débat public sur la crise de son fonctionnement. Cet acquis doit être préservé mais surtout développé, en passant d'une critique politique, donc unilatérale, dictée par des considérations purement idéologiques à un esprit critique qui impose une vigilance de tous les instants à l'égard de tous les pouvoirs et une persévérance dans l'action.

Schéma simplifié de l'organisation judiciaire française

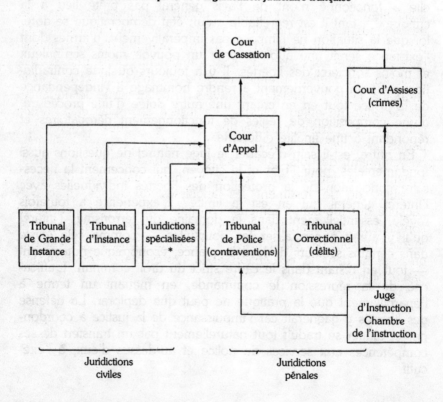

* Tribunal de Commerce, Conseil de Prud'hommes, Juge des loyers commerciaux, Commission du Contentieux de la Sécurité Sociale...

La justice face à la société : une institution très controversée

Institution sociale, la justice se définit essentiellement par les besoins auxquels elle répond. La crise économique et sociale que connaît notre pays depuis 1973 n'a pas manqué d'avoir d'importantes répercussions sur son fonctionnement. Dans une société fragilisée, qui met au premier rang de ses maux l'insécurité et le chômage, la justice pénale, au travers du débat sur la délinquance, est devenue un enjeu politique. La justice du travail et la justice commerciale participent, chacune avec sa logique propre, aux débats essentiels du moment sur l'emploi et l'entreprise. Il n'est pas étonnant, dès lors, que la société perçoive sa justice essentiellement à la lumière de son intervention dans ces domaines sensibles où se résument les angoisses du temps, même si l'activité des tribunaux demeure constituée, pour l'essentiel, par le contentieux civil traditionnel (divorces, accidents, contrats). Les médias ne sont pas étrangers à ce décalage en raison de leur rôle grandissant dans la perception et la représentation de la justice dans l'opinion.

La justice mise en scène

La plupart des Français n'entreront jamais dans un prétoire. Ils ne connaîtront donc de la justice que sa représentation littéraire, théâtrale ou cinématographique et ils ne participeront à son fonctionnement qu'en réagissant aux compte-rendus des médias.

C'est dire l'importance de la dimension culturelle de la justice exprimant et mettant en œuvre les valeurs d'une société ainsi que le rôle essentiel joué par les médias dans la formation de l'opinion mais également comme nouveau protagoniste dans le processus judiciaire.

La littérature: de la méfiance à la caricature

Ce ne peut être pur effet du hasard si, dans les livres comme sur la scène, la justice apparaît toujours en butte aux critiques, ni si sa perception oscille invariablement de la satire du juge qui la sert à la négation même du principe qui la sous-entend. A l'évidence, ces réflexions caractérisées par une étonnante constance historique au-delà de la diversité des expressions, traduisent les attitudes profondes des Français envers leur justice.

La satire du juge, serviteur indigne de la justice

Dans le domaine littéraire français [1], la satire de la justice s'inscrit dans une longue tradition. Dès le Moyen-Age, dans «*La farce de Maître Pathelin*», le juge est tourné en dérision; pressé et excédé, incrédule et dépassé par l'affaire qui lui est soumise, il se révèle en outre incapable d'écouter: «S'il y a une affaire, qu'on se dé-

---

1. Nous nous bornerons ici à ce domaine: sur le cinéma, cf. J.P. Beraudo et M. Riolacci: «Justice et cinéma», *Le nouveau pouvoir judiciaire*, n° 292, avril-mars 1981.

pêche, tout de suite, pour que je lève l'audience...» Rabelais, au XVIe siècle dans *«Pantagruel, roi des Dipsodes»* dénonce une justice qui n'est que grotesque dérision à travers l'usage d'un galimatias incompréhensible; le jugement rendu par Pantagruel entre le Seigneur de Baisecul et M. de Humevasne n'est qu'un assemblage de mots insensés: «que, considérée l'orripilation de la ratepenade déclinent bravement du solstice estival pour mugueter...», et pourtant, tous d'admirer ce jugement dont ils demeurèrent en «ecstase evanoys bien troys heures».

Au XVIIe siècle, la même verve comique sur fond caricatural se retrouve chez un Charles Sorel, l'auteur de *Francion,* qui poursuit les magistrats de ses sarcasmes, les accusant, entre autres méfaits, de ne rechercher dans le mariage qu'une dot confortable pour payer leur charge... Chez Boileau, c'est encore leur cupidité et leur vénalité qui est dénoncée, notamment dans le *Lutrin* où il trace un portrait de chicane, monstre «aux griffes toujours d'encre noircies» qui «vend pour des monceaux d'or de vains tas de papier». La Bruyère, dans *«Les Caractères»* leur impute la responsabilité des lenteurs de la procédure: «Le devoir des juges est de rendre la justice, leur métier de la différer. Quelques-uns savent leur devoir et font leur métier» et, forçant encore le trait, il écrit: «on arrive jusqu'au magistrat coquet ou dissolu par toutes les femmes à qui il veut plaire», grief qu'il partage avec Molière, le grand comique du Grand Siècle, dans les *Fourberies de Scapin.* Racine n'est pas en reste avec son Perrin Dandin des *Plaideurs,* ce maniaque de l'audience — «je veux aller juger» — qui instruit gravement un procès contre son chien voleur de poulets. Chez La Fontaine, la rapacité d'une magistrature est dénoncée: celui qui garde l'argent, laissant au justiciable le sac et les quilles *(L'huître et les plaideurs);* dans *«Le Chat, la Belette et le Petit Lapin»*, Raminagrobis, réminescence rabelaisienne, croque l'un et l'autre des «contestants» pour les mettre d'accord.

Au XVIIIe siècle, Beaumarchais qui avait certes quelques raisons de garder rancune à la magistrature, crée dans *«Le mariage de Figaro»* le personnage de Brid'oison le bégayant, juge aussi pressé et peu attentif que borné; son immense bêtise lui fait répondre à Marceline, qui dénonce l'abus de la vente des charges des juges: «oui, l'on ferait mieux de nous les donner pour rien.» Voltaire, dans ses *Contes* n'épargne pas plus le juge; cupide dans *«Candide»*, scélérat dans *«L'ingénu»*, paillard dans *«Zadig»*; et La Conversation entre un magistat de la Tournelle, c'est-à-dire chargé des affaires criminelles, et son épouse qui l'accueille: «mon petit cœur, n'avez-vous pas fait donner aujourd'hui la question à personne?» préfigure *«la tête des autres»* de Marcel Aymé.

Le XIXe siècle est dominé par Daumier. Portant la caricature judiciaire à la perfection, ses portraits sont autant de charges féroces même si la prudence devait le conduire à représenter le magistrat, le plus souvent envahi par une sorte de paresse fonctionnelle. C'est ensuite Victor Hugo dont la satire est vive. Dans «*Notre Dame de Paris*», Florian Barbedienne, Auditeur au Châtelet, est sourd, il n'en jugeait pas moins sans appel et très congrûment: «Il suffit qu'un juge ait l'air d'écouter.» Quasimodo devait faire les frais de l'infirmité du magistrat qui, interprétant ses réponses comme impertinentes et outrageantes, devait l'envoyer au pilori.

Marcel Aymé, après la «*Robe Rouge*», symbole de l'avancement qui met le ministère public dans l'obligation d'obtenir à tout prix une condamnation capitale, faisait représenter en 1952, au Théâtre de l'Atelier, sa pièce, demeurée fameuse, «*La tête des autres*»: la cruauté manifestée par les enfants attablés réclamant à leur procureur de père, de retour des assises, la tête du condamné en chair et en os, le dispute à la dérision lorsque le procureur Maillard, auquel il est reproché de prendre facilement son parti d'une injustice, laisse échapper cette réflexion désabusée «que voulez-vous, c'est le métier!». Les magistrats y sont décrits comme d'obséquieux quémandeurs, perdant toute dignité, et acceptant de faire antichambre chez Alessandrovici, abject maître occulte d'un régime autoritaire.

Ces quelques auteurs ne remettent pas la justice fondamentalement en cause; sur le théâtre de la vie sociale, le juge reçoit les coups de bâton d'un guignol ou d'un polichinelle comme pour exorciser, par les sarcasmes et la farce, la crainte qu'il inspire. Au-delà, il s'agit de défendre «la justice de Saint-Louis», qui n'est que celle de Platon, transcendante et idéale, contre celle d'un milieu judiciaire qui n'en est que la caricature dérisoire et absurde. La trahison de serviteurs indignes permet de mettre le principe immanent de justice hors d'atteinte. On peut en outre se demander si, à bien des égards, la justice ne constitue pas la victime expiatoire d'une société qui lui impute ou lui transfère symboliquement ses défaillances, et, les lui faisant assumer, s'en purifie.

Parallèlement, existait un courant qui, délaissant la farce, s'attachait à critiquer, au-delà des juges, l'institution judiciaire et parfois, au-delà, le principe même de justice.

La contestation du Droit et de la Loi

La Fontaine, avec son «selon que vous serez puissant ou misérable...» devenu un aphorisme commun, dénonçait ce que la phraséologie marxiste, bien plus tard, devait appeler «justice de classe». Mais la critique n'est sans doute jamais allée aussi loin que chez Pascal; dans ses *Pensées,* à propos de la puissance de l'imagination il écrit: «Nos magistrats ont bien ce mystère, leurs robes rouges, leurs hermines dont ils s'emmaillotent, les palais où ils jugent, les fleurs de lys, tout cet appareil auguste était fort nécessaire... s'ils avaient la véritable justice, ils n'auraient que faire de bonnets carrés... l'imagination dispose de tout, elle fait la beauté, la justice et le bonheur qui est le tout du monde.» Ainsi, la justice n'est-elle qu'apparat et apparence, versatile et inconstante car «comme la mode fait l'agrément, aussi fait-elle la justice». Ce constat le conduit à adopter une attitude cynique: «Il est dangereux de dire au peuple que les lois ne sont pas justes, car il n'y obéit qu'à cause qu'il les croit justes.»

Plus près de nous, Courteline, malgré le comique des situations dont il a le secret, devait rester dans le même registre. Ainsi, dans «*l'article 330*» fait-il dire à un de ses personnages: «La justice n'a rien à voir avec la loi qui n'en est que la déformation, la charge et la parodie. Ce sont là deux demi-sœurs qui, sorties de deux pères, se crachent à la figure et se traitent de bâtardes et vivent à couteaux tirés, gare si un jour les gens s'en mêlent, lassés de n'avoir pour les défendre contre les hommes sans justice qu'une justice sans équité, éternellement préoccupée de ménager les vauriens et toujours prête à immoler le bon droit en holocauste au droit légal dont elle est la servante à gages.»

Anatole France dans *Crainquebille* va aussi loin que Kafka dans l'absurde lorsqu'il développe le thème de l'innocent terrorisé par un appareil judiciaire qui rend sa condamnation inéluctable: «Pénétré de respect, submergé d'épouvante, il était prêt à s'en rapporter au juge sur sa propre culpabilité. Dans sa conscience, il ne se voyait pas criminel; mais il sentait combien c'est peu que la conscience d'un marchand de légumes devant les symboles de la loi et les ministres de la vindicte sociale. Déjà son avocat l'avait à demi persuadé qu'il n'était pas innocent.» Prenant résolument le contrepied de l'affirmation platonicienne d'une justice en soi, il a ces mots terribles: «l'idée d'une justice juste n'a pu germer que dans la tête d'un anarchiste.»

Chez Camus, la justice individuelle n'a plus de sens et le Tribunal qui condamne à mort Meursault ne juge qu'un homme qui ne comprend pas et reste hors du procès, rite futile et dérisoire qui ne fait que traduire l'absence des justifications réelles de la justice organisée.

On est bien proche de Jean Genet lorsqu'il laisse entendre que les juges ont toujours besoin d'un criminel: il pourrait être anonyme, n'importe qui pourrait convenir pour satisfaire aux normes et à l'esprit de la justice et le fait qu'il n'ait pas commis de crime importe peu. L'innocence objective n'existe pas et si la justice déclare quelqu'un coupable, il est coupable ou le devient à bon droit. Ainsi, dans «*Les Nègres*»: «Le juge, qui est coupable? (silence). Vous ne répondez pas? Je vais vous tendre une perche, la dernière. Ecoutez: il nous est indifférent que ce soit l'un ou l'autre qui ait commis le crime, nous ne tenons pas à celui-ci ou à celui-là. Si un homme est un homme, un nègre est un nègre et il nous suffit de deux bras, de deux jambes et d'un cou à passer dans le nœud coulant et notre justice est heureuse. Alors quoi, un bon mouvement. »

Ainsi, chez les auteurs de cette lignée, la caricature s'efface-t-elle pour céder la place au constat amer et souvent désespéré que suscite la découverte d'une justice qui n'est pas absolue et dont la déchéance produite par son divorce avec l'équité la conduit à servir soit l'Etat soit les puissants, mais toujours au prix de son reniement. Parfois, le constat découle de la perception absurde du monde et de l'homme qui entraîne la chute tragique de toutes les valeurs sur lesquelles l'un et l'autre s'appuyaient. Le drame de la justice apparaît alors comme un aspect particulier du drame plus général que traverse notre civilisation humaniste menacée par le totalitarisme de droite ou de gauche.

Les médias: de la liberté à l'abus

De prime abord, le rôle des médias dans le domaine judiciaire n'est pas nouveau: c'est dans la presse qu'éclatait en 1894 ce qui allait devenir «l'Affaire Dreyfus». Dès les 3, 4 et 5 novembre, *La Libre Parole*, *L'Autorité*, *Le Journal*, *Le Temps*, assurent que Dreyfus a vendu ses services à la fois à l'Italie et l'Allemagne[2]. C'est dans *L'Aurore* que paraissait le 13 janvier 1898 la lettre d'Emile Zola au président de la République sous le titre choc «J'ACCUSE», point de départ d'une croisade contre la Raison d'Etat. Elle devait trouver son aboutissement quelques années plus tard dans la réhabilitation du capitaine Dreyfus.

L'apparition des moyens audiovisuels modernes a pourtant changé la nature de l'intervention des médias. Bouleversant toutes nos structures mentales, politiques, économiques, comme l'a démontré magistralement Mac Luhan, ils sont susceptibles de remettre en cause jusqu'à la conception même que nous nous faisons de la justice.

---

2. J.D. Bredin, *L'Affaire*, Julliard, 1984, p. 83.

L'intervention des médias: un impératif démocratique

«Tout pouvoir repose sur l'information: il est donc naturel que ceux qui détiennent des renseignements avantageux pour eux, ou, au contraire, susceptibles de leur nuire, souhaitent les conserver à leur usage exclusif.»[3] Pour cette raison, la liberté des médias, de la presse en particulier, constitue un des plus sûrs critères de la démocratie. Empêchant toute appropriation de l'information, les médias éclairent les citoyens et assurent leur libre délibération. Par leurs critiques sur les dysfonctionnements constatés, ils permettent le contrôle de l'opinion sur le pouvoir et concourrent ainsi au bon fonctionnement des institutions étatiques.

La justice n'échappe pas à la nécessité de ce contrôle. Si elle y était soustraite, elle ne pourrait pas éviter la sclérose qui guette toute institution baignant dans le confort intellectuel et les certitudes. La publicité des débats assure au corps social cet indispensable droit de regard sur les conditions d'exercice de la fonction de juger. Pourtant, c'est moins par la présence des citoyens dans le prétoire que par le truchement des compte-rendus de la presse que ce contrôle est exercé.

Certains regrettent, à cet égard, que la législation actuelle[4] interdise l'utilisation des moyens audiovisuels dans les salles d'audience et prive ainsi la presse des moyens modernes de communication et d'information. Mais il faut être conscient des difficultés inhérentes à une modification de la loi en ce domaine. En effet, il n'est pas possible de méconnaître le changement de nature de l'information qu'introduit la retransmission télévisée. Alors que la mémoire humaine est limitée, les procédés audiovisuels permettent la sélection de séquences, la répétition, la conservation et la reproduction. Et leur utilisation ne manquerait pas d'entraîner toute une série de conséquences difficilement admissibles. La sécurité des protagonistes du procès — jurés, magistrats, avocats, témoins, victimes — se trouverait gravement menacée dès lors que leur identification serait facilitée. Les proches de l'accusé, sa famille en particulier, seraient nécessairement atteints par ricochet, ce qui aboutirait à réintroduire dans notre système pénal la peine collective qui a été bannie depuis plus de deux siècles. La recherche d'effets de théâtre, en matière d'assises notamment, s'en trouverait fatalement accentuée. Le jugement des jurés pourrait être faussé — il est vrai que la logique de la retransmission télévisée impliquerait la mise à l'écart des jurés pendant le temps

---

3. B.V. «Presse et Pouvoir», Encyclopædia Universalis, V. 13, 1977, p. 531.
4. Loi du 6 décembre 1954.

du procès, mais personne en France ne semble prêt à admettre pareille sujétion —. Enfin, cette retransmission constituerait une peine complémentaire, au même titre que l'affichage ou la publication de la décision dans la presse; mais, elle ne résulterait pas d'un jugement et frapperait au hasard le citoyen concerné par une affaire qui aurait retenu l'attention des médias.

Pour toutes ces raisons, étroitement liées à la conception humaniste de notre justice qui ne peut s'accomoder d'atteintes aussi graves à la vie privée, au droit à l'image, à la sécurité des citoyens, tout changement de la législation paraît, en l'état, inopportun[5]. D'ailleurs, la présence des chroniqueurs judiciaires aux audiences apparaît d'autant plus suffisante que ceux-ci jouissent déjà de pouvoirs considérables. Ils peuvent dénaturer le sens profond d'une affaire en ne s'attachant qu'au spectaculaire ou au pittoresque[6]. Ils ont en outre le privilège d'exercer pratiquement en toute liberté puisque, sauf circonstances tout à fait exceptionnelles, les magistrats s'interdisent de répliquer pour ne point paraître participer à une polémique.

La presse constitue pourtant la meilleure garantie du juge contre lui-même par la vigilance qu'elle lui impose. Il est donc indispensable, fut-ce au prix de commentaires cinglants, voire injustes d'une décision, que les médias puissent exprimer l'approbation, les réserves, le désaccord de l'opinion publique tant il est vrai que «le droit prétorien ne peut s'épanouir en démocratie que si le droit de critique est largement ouvert.»[7]

La presse demeure aussi son seul allié objectif dans le combat mené en vue d'améliorer la qualité de son intervention et les conditions de son indépendance. Mais surtout, comment l'opinion publique pourrait-elle être éclairée sur les difficultés de l'institution judiciaire, comment pourrait-elle être convaincue de son importance et comment pourrait-elle être placée en position d'exercer une pression suffisamment forte sur les pouvoirs publics pour obtenir des changements significatifs, si ce n'est par les médias?

Impératif démocratique et impératif de justice

Cependant, l'information reste la première fonction de la presse et plus généralement des médias. Or, si le champ de cette information est en principe illimité, il apparaît dans la réalité

5. D'ailleurs, la loi du 11 juillet 1985 n'a prévu que les enregistrements par le film et par le son à des fins socio-historiques.

6. Rapport au garde des Sceaux de la commission sur la publicité des débats judiciaires, président: A. Braunschweig, p. 13.

7. *Au service de la pensée judiciaire*, p. 28.

singulièrement restreint tant par les choix du public que par la nature même du journalisme : trop souvent descriptif du sensationnel, du pittoresque et de l'accidentel, il risque de rester superficiel[8]. Les journalistes ne sont évidemment pas seuls responsables de cette situation car l'entreprise de presse a un caractère commercial et sa direction, comme les bailleurs de fonds, y exercent une influence non négligeable. Aussi, est-il parfois difficile pour le journaliste de satisfaire pleinement à une déontologie professionnelle. Les conséquences sont souvent très graves car, dans ce qui devient une course effrénée au « scoop », tous les moyens sons bons et c'est à qui dévoilera le premier les dessous (imaginés ou non) d'une affaire, le contenu d'une instruction judiciaire en cours, ou publiera le premier les pièces d'un dossier, le plus fréquemment sans égard pour les personnes concernées et, en tout cas, sans les garanties que procure l'intervention judiciaire.

C'est ainsi qu'un magazine n'a pas hésité à publier les photographies du corps d'une jeune fille dépecée par son assassin cannibale, documents qui avaient, en outre, été obtenus dans des conditions inacceptables.

Les comportements de cette nature ne sont pas nouveaux, même s'il en est de cocasses.

On lit dans *Le Pouvoir Judiciaire* du mois d'octobre 1966 que l'avocat général, dans une affaire célèbre, fut atteint par la grippe et dut s'aliter. Il eut la surprise de voir entrer chez lui un photographe de presse qui fut contraint de renoncer à son entreprise par l'intervention de l'entourage de ce magistrat. Comme ce magistrat lui demandait l'intérêt qu'il y aurait eu à présenter au public la photographie d'un avocat général malade, il s'entendit répondre « si j'avais pu rapporter cette photo à mon directeur, j'aurais touché 40 000 francs. »

Plus graves encore sont les atteintes commises au nom de la liberté de la presse, à la vie privée comme au secret de l'instruction, et à la présomption d'innocence qui en est le corrolaire. A cet égard, deux affaires récentes, qui n'ont pas encore connu leur épilogue judiciaire, illustrent les excès d'une certaine presse ainsi que les dysfonctionnements de la justice.

A Poitiers, deux médecins anesthésistes ont été livrés en pâture à l'opinion publique par la presse, sans d'ailleurs que soient prises en compte les conséquences de ces révélations sur la vie familiale et professionnelle des intéressés, faites au mépris le plus total du principe intangible de la présomption d'innocence.

---

8. P. Albert, *Histoire de la presse*, PUF, Que sais-je, 6e édition, 1982.

Il est toutefois réconfortant de constater qu'au sein même des professions de presse, des réactions contre une telle dérive se soient manifestées. Dans un article du journal *Le Monde* des 16 et 17 décembre 1984, B. Legendre rappelait opportunément que «c'est le respect du principe de la présomption d'innocence qui doit gouverner chacun, policiers, magistrats et journalistes. Cette ligne de conduite... interdit les extrapolations hâtives et les condamnations avant procès.» Une fois la justice saisie, c'est en effet à elle seule qu'il devrait appartenir d'établir la culpabilité d'une personne.

C'est là sa fonction et, dans cet exercice, elle seule est soumise au respect des droits fondamentaux, et à une déontologie contraignante, qui sont autant de garanties pour la liberté des citoyens.

Près d'Epinal, une affaire tristement célèbre puisqu'elle concerne la mort d'un entant, a révélé des comportements tout aussi étonnants. Prenant la place du juge «plus de cent trente journalistes campent dans la ville pour instruire cette affaire judiciaire» en parallèle avec l'enquête officielle[9]. Là encore, au mépris du plus élémentaire respect d'autrui, les membres de la famille de la victime et leurs proches ont vu leur intimité violée tandis que les noms des suspects «potentiels» se succédaient à la «Une» des journaux suivant la version de «la vérité» proposée par chacun d'eux. Dominique Jamet, dans un article du *Quotidien de Paris* du 13 juin 1985 s'est inquiété de cette «danse du scalp» horrible, qui ne respecte plus ni totems ni tabous et nous ramène à des temps que l'on voulait révolus, où la justice était rendue par l'opinion sur la place publique. C'est qu'en effet, il ne peut y avoir de justice sans sérénité et, si le juge se doit de tenir compte de l'opinion publique, il ne peut se prononcer sous sa pression car «elle est tantôt comme un torrent qui balaie tout sur son passage et tantôt comme une eau subtile qui vous entoure et vous fait glisser doucement dans le sens du courant. Elle est la cause la plus grave et la plus fréquente des erreurs judiciaires...»[10] La presse manque à son devoir lorsqu'elle contribue au déchaînement des passions en les alimentant, prenant alors le risque d'enclencher le processus de l'erreur judiciaire qu'elle ne pourrait ensuite, sans quelque inconséquence, venir déplorer.

Mais ces affaires ne doivent pas occulter les propres insuffisances de l'institution judiciaire.

9. Y. Lemoine et D. Soulez Larivière, «Pour une réforme de l'instruction judiciaire», *Le Monde*, 3 avril 1985.

10. M. Rolland, in *La justice en question*, Cahiers de la NEF, janvier-mars 1970, p. 139.

Conçu pour permettre au juge d'instruction de mener son information dans la sérénité et l'objectivité, pour protéger l'inculpé, sa famille et certains témoins contre des jugements hâtifs et pour donner une réalité au principe de la présomption d'innocence, le secret de l'information apparaît dans notre système judiciaire trop essentiel pour que soit admise sa transgression constante. Il devrait enfin être rendu effectif à l'égard de tous, policiers et experts notamment. Toutefois, le réalisme conduit à reconnaître que, dans certains cas, essentiellement lorsque l'instruction porte sur une infraction commise en public ou rendue publique, il est légitime que la presse ait le souci d'informer ses lecteurs des suites judiciaires. Il serait alors concevable d'aménager le principe, de manière pragmatique, en permettant au juge d'instruction ou au président de la chambre d'accusation de lever le secret, de façon provisoire ou partielle. Cette soupape serait de nature à mettre fin à des fuites incontrôlées, génératrices d'indications erronées et de supputations tendancieuses faites à partir de bribes de vérité, qui ne peuvent conduire qu'à la déconsidération du système pénal tout entier.

Vers un code de déontologie de la presse

Les rapports presse-justice reposent sur la nécessaire conciliation de la liberté d'informer, à laquelle des restrictions ne peuvent être apportées qu'avec beaucoup de précautions, avec le respect des règles protectrices de l'individu. Ils sont trop importants pour ne pas être guidés par quelques principes fondamentaux suffisamment évidents pour recueillir un consensus très large.

Le système anglais apparaît très protecteur des droits individuels à l'encontre de la presse. Faisant tomber sous le coup de la loi toute conduite de nature à compromettre le caractère équitable d'un procès, il va jusqu'à prohiber toute déclaration publique concernant une affaire civile ou pénale en cours. Ainsi, les tribunaux, outre Manche, répriment toute tendance du public ou de la presse à jouer aux détectives, à interroger les témoins, comme à faire état de leurs observations ou à donner un avis sur la culpabilité des suspects[11]. Peut-être, ces solutions sont-elles difficilement transposables, telles quelles, en France, tant en raison des différences fondamentales des systèmes répressifs que des conceptions très différentes de la presse et des représentations collectives de la justice dans les deux pays. Il serait sans doute plus conforme

---

11. *Justice et Politique*, p. 79.

à la tradition française que la presse adoptât — journalistes et propriétaires de journaux confondus — un code de déontologie dont les manquements seraient sanctionnés et désavoués publiquement par un Conseil de la presse, sorte de Tribunal d'honneur de la profession.

Ce code devrait également prévoir les limites du droit d'informer lorsque la divulgation d'informations est de nature à mettre en échec les autorités judiciaires et policières dans leur lutte contre la criminalité. Un exemple illustrera cette préoccupation: à la fin de l'année 1984, un journal régional annonça la saisie par les services de police de plusieurs tonnes de haschich en même temps que l'arrestation des auteurs du trafic; en réalité, l'opération policière ayant été programmée le jour même de la parution de l'article, les trafiquants qui se trouvaient encore sur le chemin de la livraison furent prévenus... et préférèrent s'abstenir...

CHAPITRE 2
Justice et délinquance

Diverse dans ses fonctions comme dans ses structures, la justice n'en est pas moins perçue essentiellement sous son aspect répressif. Ce constat a de quoi étonner lorsque l'on sait que le contentieux pénal ne représente qu'environ 20% de l'ensemble de l'activité judiciaire.

Le retentissement considérable de certaines affaires criminelles dans le public et le large écho qu'elles trouvent dans les médias, les réflexes de peur et de colère qu'engendrent certains types de délinquance, le psychodrame que constitue le procès pénal, tout cela explique que la justice répressive se trouve sous les projecteurs. Mais cette explication resterait incomplète si elle ne prenait pas en compte le privilège qu'a la justice d'atteindre l'homme dans son honneur, ses biens, sa liberté, et, jusqu'à une date récente, dans sa vie même.

A cet égard, la suppression de la peine de mort devrait modifier l'image de la justice en la dépouillant de la forte dose d'irrationnel qui proliférait à l'ombre de la guillotine et permettre une réflexion plus sereine sur le système pénal. Mais les controverses dont elle est l'objet ne sont pourtant pas près d'être closes. En effet, le droit répressif est intimement et nécessairement lié à la philosophie et à la morale par la définition des normes dont il impose le respect; de plus, il reflète l'organisation socio-politique par les rapports qu'il définit entre l'Etat et l'individu, dans la procédure qu'il organise et dans les sanctions qu'il met en œuvre. Aussi, situé au cœur de l'homme et de la société, il est l'objet d'un débat passionné. Et cela, tout particulièrement dans les périodes de mutation accélérée comme la nôtre, d'autant plus que les questions qu'il suscite sont irréductibles aux schémas simplistes et les réponses qu'il appelle étrangères aux choix manichéens.

L'ambiguïté lui est en quelque sorte inhérente: ambiguïté de la démarche du juge qui cherche à comprendre et doit condamner, ambiguïté de l'institution judiciaire tout entière placée entre les droits de l'individu et ceux de la société, ambiguïté en ce qui concerne la compréhension du phénomène de la délinquance, ambiguïté enfin de la peine qui tend à sanctionner un acte fautif tout en s'efforçant de resocialiser son auteur.

Il est plus facile de nier ces ambiguïtés que de les assumer. On peut, dans les discours, résoudre les contradictions en supprimant l'un de ces termes, mais le juge, confronté à la réalité, doit en tenir compte.

Droits de la société et droits de l'individu

Si le droit pénal revêt une importance capitale dans une société c'est parce qu'il peut à lui seul la résumer tout entière tant à travers les rapports qu'il pose entre les droits de la société et ceux de l'individu, que par les solutions qu'il adopte pour arbitrer entre les uns et les autres, nécessairement antagonistes et facilement contradictoires.

La recherche d'un équilibre entre l'autorité qui maintient l'ordre en réprimant les infractions à la loi et le respect de la liberté individuelle constitue une préoccupation récente, apparue avec la Démocratie; elle en a suivi les avatars, elle en mesure le degré de développement. Chaque fois qu'ont été sacrifiées liberté et dignité au mirage d'une répression plus efficace, ce sont les fondements mêmes de notre société qui ont été remis en cause.

Procédure inquisitoire ou procédure accusatoire?

L'Ancien Régime, ignorant les droits de l'homme, préoccupé au premier chef de la sécurité publique et de l'ordre social, avait adopté une procédure pénale inquisitoire[1] n'offrant aucune garantie au justiciable, puisque celui-ci se trouvait privé de tout droit de défense véritable. Cette procédure était toute orientée vers l'obtention de l'aveu, obsession de l'époque qui justifiait le recours à la torture physique.

---

1. Dans cette procédure, le juge joue un rôle actif et central. Dans la recherche de la vérité, il agit par écrit, dans le secret (même à l'égard de l'accusé) et ne respecte pas le principe du contradictoire, la personne poursuivie n'ayant qu'un rôle passif. Au contraire, dans la procédure accusatoire, l'action du juge est publique, orale, contradictoire. La personne poursuivie et le représentant de l'Etat discutent sur un pied d'égalité devant un juge, arbitre impartial, qui enregistre le résultat de la contestation.

Le mouvement des idées du XVIIIe siècle, en réaction à ce système, devait déboucher sur la Déclaration des Droits de l'Homme et du Citoyen du 26 août 1789. Prenant le contrepied du système précédent, elle posait des principes aussi essentiels que «tout homme étant présumé innocent jusqu'à ce qu'il ait été déclaré coupable, s'il est indispensable de l'arrêter, toute rigueur qui ne serait pas nécessaire pour s'assurer de sa personne doit être sévèrement réprimée par la loi». (art. IX).

De la proclamation de ces principes généraux à leur mise en œuvre le chemin devait être long; il est loin d'être achevé dans la mesure où la conception même de la liberté et de la dignité humaine ne constitue nullement un concept figé et intemporel. Elle évolue, malgré d'affligeantes régressions, pour tendre vers un idéal inaccessible. La prise en considération de cette relativité est indispensable pour appréhender le chemin parcouru et pour percevoir celui qui peut encore l'être.

Les principes proclamés en 1789 se trouvèrent rapidement niés par ceux-là mêmes qui les avaient établis dès qu'ils leur apparurent comme une entrave à leur action. Sous la Convention les libertés individuelles furent déjà violées et la tyrannie que l'on croyait abattue à jamais resurgit, parée des atours de la loi, prétexte à une intolérance plus grande encore: «les tyrans avait changé de costume, mais ils faisaient pire que ceux qu'ils avaient voulu remplacer. Dans l'emportement d'un enthousiasme passionnel ils tuèrent cette liberté dont ils avaient affirmé la légitimité au profit d'une fausse liberté qui n'était qu'un semblant». [2].

Il fallut attendre la fin du XIXe siècle pour que les principes révolutionnaires fassent, avec la démocratie, leur entrée dans les faits. Le code de procédure pénale avait, en effet, continué à faire la part belle à la procédure inquisitoire. Si la torture physique était enfin bannie, l'enquête secrète et écrite était confiée au juge d'instruction face auquel l'inculpé, ignorant les charges qui avaient été réunies contre lui et seul, puisque privé de défenseur, se trouvait dans un état d'infériorité et de faiblesse. Ce n'est que lors de l'audience que la procédure recouvrait un caractère contradictoire et que la défense se trouvait réellement assurée; mais il était bien tard! La loi de 1897 devait remédier à cet état de choses et faire franchir à notre droit des progrès décisifs en permettant au prévenu d'être assisté d'un conseil tout au long de l'information, donnant à cette phase un caractère contradictoire, et autorisant, en outre, la demande de mise en liberté, à tout moment, devant

---

2. Maurice Garçon, *Défense de la liberté individuelle,* Librairie Arthème Fayard, 1957, p. 34.

la chambre des mises en accusation. Cette réforme n'avait pas abouti sans peine. De même qu'au XVIIIe siècle, lorsqu'il fut question d'abolir la torture «les magistrats ne furent pas loin de considérer qu'il n'y aurait plus d'instruction criminelle possible si le projet aboutissait»[3], la suppression du secret avait entraîné la même objection que résument les propos alors tenus par le Sénateur Tillaye à la tribune de son assemblée: «J'estime que la mesure que l'on propose est incompatible avec les nécessités de l'information et qu'elle constitue un acte d'injurieuse défiance, défiance qui n'est pas justifiée contre un magistrat qui, quoiqu'on en dise, n'a aucun intérêt à voir un coupable dans chaque prévenu...»

Le système actuel, issu de la réforme de 1958 a maintenu le caractère contradictoire de l'information qui s'est même trouvé accentué par des textes successifs, dont le dernier du 9 juillet 1984 a prévu un débat contradictoire devant le juge d'instruction au moment de la mise en détention provisoire. En revanche, ce qui continue de faire problème, est l'enquête préliminaire qui précède l'information, dont la pratique extra légale s'était développée dans le cadre de la loi de 1897, et que le législateur, sensible aux critiques qu'elle avait suscitées au regard de la protection de la liberté individuelle, a pris soin d'organiser minutieusement en réglementant notamment la garde à vue. Celle-ci permet aux services de police de tenir à leur disposition, pendant 24 heures, toute personne soupçonnée d'avoir commis un crime ou un délit avant de la déférer, le cas échéant, devant les autorités judiciaires; ce délai peut d'ailleurs être renouvelé une fois avec l'autorisation du parquet. Pendant ce délai, la police instruit le procès en recherchant les preuves, en interrogeant le suspect et les témoins, en procédant à des confrontations. L'existence même de l'enquête préliminaire et de la garde à vue qui est le corrolaire, a été critiquée dans la mesure où «la police, qui place celui qu'elle suspecte, celui que la presse désigne désormais sous le vocable de «témoin numéro un» dans la position de garde à vue, agit de son propre chef, en dehors de toute intervention judiciaire»[4], mais aussi parce que l'individu qui fait l'objet de cette mesure se trouve isolé, en état d'infériorité devant un policier que l'on «encourage à découvrir la vérité en interrogeant le suspect» à tel point qu'«une pente insensible mais irrésistible le conduit obligatoirement à tout mettre en œuvre pour réussir».[5]

---

3. Maurice Garçon, précité, *Défense de la liberté individuelle*, p. 48.
4. P. Arrighi, in *La Justice en question*, Cahiers de la NER, p. 19.
5. Maurice Garçon, précité, *Défense de la liberté individuelle*, p. 96.

Les risques d'abus inhérents à ce système ne peuvent être balayés sans discussion. Il faut se souvenir que la loi de 1897 avait entendu remédier au tête-à-tête inégal mis sur pied en 1808, entre le juge et le suspect, et l'on conçoit que la difficulté se trouverait déplacée, voire singulièrement aggravée, si tout ce qui se trouvait désormais interdit au magistrat était permis au policier. Le législateur s'en est rendu compte et a tenté d'obvier à ces inconvénients en assortissant l'enquête préliminaire de certaines garanties, telles le contrôle médical du suspect où l'obligation de faire figurer au procès-verbal les motifs de la garde à vue comme la durée des interrogatoires.

Mais faut-il aller au bout de la logique et mettre fin à cet ultime réduit de la procédure inquisitoire? Cela ne parait pas souhaitable, car la défense de toute société implique un minimum de coercition. Une fois ces nécessités reconnues, tout, cependant, doit être mis en œuvre pour que la liberté individuelle ne subisse que les atteintes indispensables à la défense sociale et pour que la dignité humaine, en tout état de cause, soit respectée. Le contrôle systématique par le parquet de la garde à vue, prévu par les textes, constitue certes une protection non négligeable pour le justiciable.

Une police judiciaire dépendant du ministère de la justice?

Mais ne pourrait-on pas aller plus loin en créant une véritable Police Judiciaire, dépendant non plus du ministère de l'Intérieur mais de celui de la Justice? Ainsi, ses membres, travaillant en symbiose avec les juges et le parquet, ne verraient pas dans le contrôle de ceux-ci — comme c'est trop souvent le cas — l'immixtion paralysante d'un corps qui leur est extérieur et dont la démarche leur est étrangère.

Ce serait également une mesure susceptible de mettre un terme à la grave ingérence de l'exécutif dans le fonctionnement de la justice pénale et aux abus inévitables qui en résultent. Tout est clair dans les textes; à côté de la police administrative, chargée du maintien de l'ordre public et la sûreté générale, existe la police judiciaire, dont la mission consiste à constater les infractions à la loi pénale et à en rechercher les auteurs. Agissant comme auxiliaire de la justice, cette dernière se trouve placée sous la direction du Procureur de la République tant qu'un juge d'instruction n'a pas été saisi, puis, sous l'autorité de ce dernier. Toutefois, cette construction, apparemment séduisante pour l'esprit, ne résiste pas à la simple constatation du fait que la carrière de tout policier, fut-il officier de police judiciaire, se déroule sous les auspices du ministère de l'Intérieur, qui pourvoit à son avancement et exerce la discipline à son encontre. Le Procureur Général peut retirer l'habilitation à un officier de police judiciaire et ce dernier faire l'objet d'une promotion par son ministre; ce n'est pas là hypothèse d'école. La distinction entre la police administrative et judiciaire ne s'en trouve pas seulement atténuée, elle apparaît singulièrement théorique.

Aussi, il n'est pas étonnant que les textes qui ont rappelé aux officiers de police judiciaire qu'ils relèvent, dans l'accomplissement de leur mission de la seule Justice, soient restés lettre morte dès qu'une affaire à coloration politique surgissait. En l'état du système, il ne pouvait en être autrement.

On se rappellera le scandale provoqué par l'affaire Ben Barka, du nom du responsable de l'opposition marocaine, enlevé en plein jour à Saint-Germain des Prés, lorsqu'il fut avéré que les services de police judiciaire avaient réservé leurs révélations aux seules autorités administratives, laissant délibérément les magistrats dans l'ignorance.

Suivant la tendance bien française selon laquelle il suffit de faire voter une loi pour remédier à une situation que l'on se garde bien de modifier, les dispositions réglant les rapports de la police avec le justice furent révisées à la suite du rapport déposé par M. Léon Noël. Le constat établi par ce dernier était lucide. «Il est malheureusement de notoriété que ces dispositions (celles faisant obligations à l'Officier de police judiciaire de faire parvenir directement l'original des procès-verbaux qu'ils ont dressés à l'autorité judiciaire) sont trop fréquemment négligées, les officiers de police judiciaire communiquant par priorité, sinon exclusivement à leurs chefs directs ou aux préfets les renseignements recueillis par eux sur des infractions à la loi pénale». Mais la réponse apportée apparaissait bien timide ou bien naïve: un décret de 1966 posait la règle suivant laquelle «Les Officiers de police judiciaire à l'occasion d'une enquête ou de l'exécution d'une commission rogatoire ne peuvent solliciter ni recevoir des ordres ou des instructions que de l'autorité judiciaire dont ils dépendent et doivent rendre compte de leurs diverses opérations à cette autorité sans attendre la fin de leur mission». Les mêmes causes ayant les mêmes effets, l'affaire de Broglie, en 1976[6] révélait le caractère illusoire des dispositions nouvelles. Un tel comportement devait être dénoncé comme «ne pouvant que nuire au respect dû à la loi et qui, à la longue, risquait d'être pris pour une volonté d'abaissement de la justice — qui ne serait qu'un sous-produit de

---

6. Cf. Supra, 1e partie, chapitre 1 p.

la police — et un manque évident de considération envers la fonction de Magistrat»[7]. C'est du mépris de la justice qu'il aurait fallu parler lorsque le même ministre, à l'occasion de l'affaire des écoutes du *Canard enchaîné,* n'hésita pas à interdire aux policiers de déférer aux convocations du juge d'instruction[8].

Plus récemment, à la suite d'un attentat meurtrier perpétré à Marseille, ont vit le préfet de police de cette ville se livrer, en pleine campagne électorale à des déclarations pour le moins intempestives, n'hésitant pas à faire passer pour une certitude ce qui n'était qu'une hypothèse de travail, parmi bien d'autres, des enquêteurs.[9]

La liste des affaires ainsi rappelées pour mémoire est loin d'être exhaustive; seules ont été évoquées les plus significatives et dont le public a eu connaissance, sans pouvoir toujours comprendre en quoi l'exécutif avait fait fi de règles fondamentales. Il n'est pas nécessaire d'être devin pour prévoir que de nouvelles «bavures» s'ajouteront aux précédentes tant que la situation qui favorise leur apparition subsistera, en dépit de tous les textes qui, à la longue, finissent par apparaître comme un prétexte bien facile à la bonne conscience. Le rattachement administratif de la police judiciaire au Ministère de la Justice, préconisée depuis la fin du siècle dernier, serait à coup sûr, le seul moyen de mettre un terme à ce qui n'est rien d'autre qu'une manipulation de la justice par le Pouvoir.

En 1908, le professeur Emile Garçon écrivait à ce propos: «Je ne suis pas moins sans inquiétude en constatant qu'un organe essentiel de la justice répressive est institué sous la dépendance du plus politique des ministères et que l'administration sera ainsi plus intimement mêlée à l'œuvre de la justice criminelle.» Ces inquiétudes étaient fondées; elles se trouvent accrues aujourd'hui avec l'institution du préfet de police, haut fonctionnaire seulement chargé, à l'origine, de gérer un Secrétariat Général de l'administration de la police et qui s'est trouvé, bien vite, chargé d'animer l'action policière dans son ressort. Sa généralisation progressive permet à l'Intérieur d'avoir un droit de regard sur toutes les infractions qui se commettent et lui confère, au détriment de la justice, un certain pouvoir dans le choix de la politique pénale. Indice supplémentaire d'une dérive du judiciaire vers l'administratif et preuve que le Pouvoir quel qu'il soit, loin de se priver des moyens de contrôler la justice, cherche, par une logique qui lui est propre, à les accroître encore.

---

7. Pierre Arpaillange, *La simple justice,* p. 23.
8. Cf. Supra, 1e partie, chapitre 1.
9. Cf. Supra, 1e partie, chapitre 1.

L'alternative: liberté ou détention provisoire

Si l'intervention judiciaire constitue, pour tout citoyen, une garantie essentielle de ses libertés, encore faut-il avoir présent à l'esprit que la justice seule peut y porter atteinte, spécialement en ordonnant l'incarcération de celui qui n'est pourtant qu'un prévenu «présumé innocent» au terme de la loi. Parce que le juge n'est après tout qu'un homme, ses pouvoirs en ce domaine doivent être strictement bornés par des règles et des procédures qui préservent le justiciable, comme lui-même, de l'arbitraire.

L'évolution législative, depuis un siècle, révèle une tendance très marquée à faire de la liberté au cours de l'information, la règle, la détention devenant l'exception. Le chemin parcouru est déjà considérable. On est étonné de savoir qu'avant la loi de 1897 aucun recours n'était possible contre la décision du juge d'instruction de placer un inculpé en «détention provisoire», que jusqu'en 1970 une telle décision n'avait pas à être motivée, et qu'aucune limite dans le temps n'était assignée à cette mesure. Désormais, la détention provisoire ne peut intervenir que dans des cas limitativement énumérés par la loi[10]. Par ailleurs, elle est, sauf dans les procédures criminelles, soumise à des délais stricts dont le non respect entraîne la remise en liberté immédiate de l'inculpé.

Parallèlement, pour sortir le magistrat instructeur du dilemme liberté-emprisonnement, une alternative à la solution carcérale a été mise en place en permettant au juge d'instruction de placer l'inculpé sous contrôle judiciaire; cette mesure est constituée de diverses obligations (pointage dans les services de police, interdiction de se déplacer, de rencontrer diverses personnes, interdictions professionnelles, cautionnement, etc.) et sa violation peut aboutir à l'incarcération. Toujours dans la même optique, divers services ont été également mis en place dans les tribunaux pour informer plus complètement les juges d'instruction sur la personnalité du délinquant: services d'enquêtes rapides, services éducatifs pour les mineurs etc.

Enfin, tout récemment, une étape a été franchie en conférant à la question de la détention un caractère contradictoire.

Malgré la netteté de cette évolution et le consensus qu'elle trouve dans la classe politique — il est frappant à cet égard que la

---

10. Lorsque la détention provisoire de l'inculpé est l'unique moyen de conserver les preuves ou les indices matériels ou d'empêcher soit une pression sur les témoins, soit une concertation frauduleuse entre inculpés et complices;

Lorsque cette détention est nécessaire pour préserver l'ordre public du trouble causé par l'infraction ou pour protéger l'inculpé, pour mettre fin à l'infraction ou prévenir son renouvellement ou pour garantir le maintien de l'inculpé à la disposition de la justice.

loi du 9 juillet 1984 sur le débat contradictoire devant le juge d'instruction ait été votée sans opposition — le débat sur le problème de la détention n'est pas près d'être clos. Les victimes continuent à trouver intolérable de croiser dans la rue, le lendemain de leur inculpation, leur agresseur ou leur voleur. La police est découragée de voir repartir libre celui qu'elle a arrêté au terme d'un travail minutieux et souvent dangereux. Le délinquant lui-même supporte mal qu'à l'issue d'une instruction, parfois longue, au cours de laquelle il a joui de la liberté, le tribunal vienne à l'en priver.

Pour toutes ces raisons, la justice se trouve quotidiennement mise en cause alors que les responsabilités sont ailleurs. C'est parce que les pouvoirs publics, depuis de nombreuses années ont estimé qu'il y avait trop de détentions provisoires — ce qui s'est traduit par de nombreuses circulaires de la Chancellerie aux parquets, les invitant à motiver leurs réquisitions et à réduire le nombre des détentions — que le législateur a fait de la détention provisoire l'exception en l'enfermant dans des règles strictes et des procédures complexes. Ce choix qui est l'expression de la souveraineté nationale, impose au juge une application de la loi, loyale et sans arrière-pensée. Mais il est regrettable que les préoccupations gouvernementales aient, parfois, singulièrement manqué de logique. A cet égard, il est peu admissible que les ministres de la Justice ne réagissent pas avec plus de vigueur lorsque les juges sont accusés de laxisme en appliquant les dispositions légales à l'origine desquelles ils se trouvent. Il est en outre fâcheux que les préoccupations ministérielles semblent parfois faussées par des considérations extérieures au vrai débat et que le nombre de places dans les prisons paraisse commander la politique à suivre. Si l'on veut que le nombre de détentions provisoires ne dépasse pas les capacités de nos prisons, encore faut-il le dire; mais verrait-on l'administration des hôpitaux décréter qu'il n'y aura désormais pas plus de malades que de lits pour les recevoir?

Sans doute un changement de mentalités est-il indispensable pour qu'à l'avenir cette question ne fasse plus véritablement problème. Ce serait toutefois à l'honneur des gouvernants qui ont pris des mesures qui ne flattent pas nécessairement l'opinion, de les assumer entièrement en les expliquant et en défendant ceux qui les appliquent[11].

---

11. Lire aussi Jacques Toubon, *Pour en finir avec la peur*, R. Laffont, collection «franc parler», 1984.

Le juge d'instruction

L'apaisement définitif ne saurait toutefois être durablement acquis tant que l'institution du juge d'instruction, la plus en vue et aussi la plus controversée de la justice, ne sera pas repensée dans son ensemble et son rôle clairement défini. Il a souvent été reproché au juge d'instruction une propension naturelle à se faire l'auxiliaire du procureur de la République[12] dans la mesure où son rôle, qui consiste à réunir preuves et présomptions, comme le ferait un policier, est un acte de poursuites. De même a été dénoncée l'ambiguïté, sinon l'antinomie, entre ce rôle et celui de juge au sens strict, qui consiste, à la fin de l'information, à renvoyer l'inculpé devant le tribunal ou à prendre une mesure de non lieu, choix qui suppose un préjugement sur la culpabilité.

Pour toutes ces raisons, on peut au moins poser la question de savoir si le projet Donnedieu de Vabres n'aurait pas le mérite de résoudre les contradictions actuelles: le juge d'instruction deviendrait le juge de l'instruction. Celle-ci serait conduite par le parquet qui, s'appuyant sur la police judiciaire — rattaché au ministère de la Justice — exercerait la poursuite et rechercherait les preuves. Le juge, restauré dans sa fonction naturelle, trancherait les difficultés surgissant alors entre l'accusation et la défense.

Au cours de l'été 1985, Monsieur Badinter a proposé une autre solution: l'institution d'une chambre collégiale de l'instruction qui présenterait, selon lui, de meilleures garanties pour le justiciable et qui serait le lieu idéal de formation du jeune magistrat affecté à l'instruction. Le parlement devrait être appelé à se prononcer avant la fin de la session parlementaire 1985.

Mais la réalisation de cette réforme impliquant la création d'au moins trois cents emplois de magistrats et de cent emplois de greffiers, il est douteux qu'elle puisse être mise en œuvre dans le contexte budgétaire actuel. Ce projet apparaît en outre comme la reprise des solutions utilisées en 1808 et en 1933 et qui ont du être abandonnées, parce qu'inapplicables.

Délit, délinquance et délinquant

Les progrès accomplis par les sciences sociales ont remis en cause les théories directement inspirées du freudisme, longtemps à l'honneur, qui voyaient dans la délinquance l'opposition entre les pulsions et les instincts biologiques que l'homme cherche à satisfaire et l'ordre social, conçu comme l'appareil destiné à les contrô-

---

12. P. Arrighi, in *La justice en question*, Cahiers de la NEF, p. 25.

ler. De plus en plus étudiée dans une perspective sociologique, la déviance est apparue étroitement liée à la structure sociale tant par les valeurs de civilisation et les objectifs qu'elle propose à ses membres, que par l'éventail plus ou moins large des comportements qu'elle leur permet, sans que soit pour autant exclu le rôle des particularités biologiques et personnelles.

Dans l'une et l'autre approche, sous des perspectives différentes, apparaît l'idée selon laquelle la délinquance est d'abord un phénomène de civilisation et de société. Il en résulte «que le problème fondamental en matière de délinquance n'est pas un problème judiciaire, c'est un problème politique qui concerne l'ensemble des citoyens et ne peut être résolu que sur le plan politique».[13].

Pourtant cette constatation a été longue à s'imposer, l'application de la loi pénale étant perçue essentiellement à travers le fait divers qui l'exprime. En outre, les conséquences en sont rarement tirées. Conséquences d'abord pour l'Etat qui trop souvent succombe à la facilité, si ce n'est à la démagogie, d'imputer à la justice des responsabilités qui lui sont étrangères. C'est que la justice pénale intervient au stade ultime d'un processus d'échec et de rupture, mais dont les causes et la genèse lui demeurent, pour l'essentiel, extérieures et sur lesquelles elle n'a pas véritablement prise.

D'ailleurs, une partie du discours sur la sécurité procède de l'amalgame entre les causes de la criminalité et ses conséquences et permet, à travers les sentiments de peur et d'irrationnel qu'elle suscite, de faire l'économie d'une analyse objective qui situerait les responsabilités véritables au niveau du pouvoir politique. En effet, c'est à lui qu'il appartient de dégager à un moment donné, les valeurs susceptibles de réunir un consensus assez général pour que leur transgression entraîne une désapprobation de tout le corps social. C'est encore à lui d'agir sur les facteurs criminogènes, sinon l'action de la justice pénale risque de paraître aussi injuste qu'inefficace. C'est à lui enfin de faire respecter les règles du jeu social, dès lors qu'elles sont démocratiquement arrêtées, en veillant notamment à ce que les décisions de justice soient exécutées.

Les citoyens considèrent le plus souvent l'institution judiciaire qui sanctionne — trop ou trop peu suivant les composantes de l'opinion et les circonstances — comme une machine autonome tantôt inhumaine et intolérante, tantôt laxiste et insuffisamment protectrice, alors qu'elle n'est que le reflet fidèle de la société et de la hiérarchie de ses valeurs.

---

13. Rapport Arpaillange, *in La simple justice*, p. 261.

Cependant, la fonction de bouc émissaire ainsi conférée à la justice en matière pénale n'est pas le seul effet d'un comportement collectif hypocrite. Elle résulte aussi, en grande partie, de la compréhension insuffisante du phénomène de la délinquance et de la tentation facile de séparer l'acte de son auteur, alors que l'un et l'autre sont nécessairement liés.

Les finalités de la justice pénale

Différentes conceptions de la justice pénale continuent, à cet égard, de s'affronter et la récupération politique de plus en plus évidente des unes et des autres, interdit de n'y voir que d'obscures querelles de juristes, de criminologues et de sociologues car elles débouchent directement sur des choix idéologiques fondamentaux. Une conception classique veut que le progrès pénal soit centré sur le fait délictueux, le délinquant se trouvant en quelque sorte évincé du débat dont il est pourtant l'enjeu. Ce courant, attaché à une répression exemplaire dans le but de protection de l'ordre public, considère le délit comme un acte commis volontairement par un homme responsable et le juge n'a d'autre rôle, dans le respect de la légalité, que d'appliquer la peine qui doit tout à la fois sanctionner la faute morale et rétablir l'ordre juridique abstrait par un moment rompu.

A l'opposé, des conceptions inspirées du positivisme conduisent à un déterminisme a priori: un déterminisme individuel, avec pour corollaire la négation de la culpabilité et de la peine, vise alors seulement à neutraliser le criminel; un déterminisme social voit essentiellement dans l'acte criminel la conséquence directe de facteurs sociaux et la traduction des inégalités économiques et sociales qui font du criminel la victime excusable d'un certain type de société.

Ces conceptions antagonistes se retrouvent dans les divers courants de l'opinion, eux-mêmes largement reflétés et inspirés par les médias. Une étude de la presse[14], à l'occasion du procès d'assises Buffet-Bontemps, qui devait conduire à la condamnation à mort des deux criminels, a permis d'établir une typologie des représentations de la justice pénale à travers les grands quotidiens de l'époque: perçue tantôt comme l'instrument de la vengeance sociale ou de l'élimination des «monstres», tantôt comme un «appareil autonome, apaisant, rétablissant les équilibres sociaux

---

14. P. Robert et C. Faugeron, *Les forces cachées de la Justice française; la crise de la justice pénale*, Le Centurion, Paris, 1980.

rompus», la justice apparaît à d'autres essentiellement à travers le hiatus entre la fonction idéale qui lui est attribuée et l'image décevante de son fonctionnement réel; elle est aussi dénoncée comme reflétant le système social et les mécanismes d'oppression et d'exclusion sur lesquels il repose et qu'elle a pour but justement, à travers un simulacre de justice, de sauvegarder.

Il est aisé de comprendre qu'une justice pénale ainsi perçue soit plus souvent critiquée que louée, dès lors qu'elle ne se confond avec aucune des conceptions qui prévalent et que ses fondements sont incompris, voire ignorés. Depuis 1945, notre justice pénale est fortement inspirée des idées développées par l'Ecole de Défense Sociale Nouvelle; issue de la Libération, cette école de pensée affirme la nécessité d'une conciliation des droits de la société et de ceux de l'individu, dans sa dignité. Celle-ci étant réalisée, se trouvent repoussés tout à la fois la prétention d'instaurer une justice absolue, comme le souci de donner à la peine la mission de rétablir abstraitement l'ordre juridique rompu par l'infraction. Se trouve ainsi affirmée l'idée selon laquelle la justice ne peut être que relative, connaissant non un fait d'après des règles abstraites mais un homme, individu concrèt dont le sort est fixé par d'autres hommes car «le juge n'est pas saisi du problème méthaphysique du bien ou du mal mais du problème individuel et limité de la délinquance manifestée, dans une occasion particulière, par le comportement d'un individu.»[15]

Si le déterminisme positiviste se trouve écarté par le recours au sentiment de responsabilité, inné chez tout homme, les obligations de la société envers les citoyens à travers le respect de la dignité humaine et de la liberté individuelle s'y trouvent omniprésentes.

L'économie de ce système, réalisant un équilibre, certes difficile mais indispensable, a été remis en cause tantôt par ceux qui, pour des raisons idéologiques niaient toute idée de responsabilité individuelle dès lors que la société seule se trouvait chargée de tous les péchés, tantôt par ceux qui, cédant à la facilité de la démagogie, prétendaient se faire l'écho des sentiments populaires profonds, en dénonçant le laxisme de la justice et en appelant à un retour à l'état antérieur dans le développement du droit criminel et des libertés. A cet égard, la loi *Sécurité et Liberté* a constitué une rupture importante avec l'évolution amorcée depuis la libération en réduisant les possiblités offertes au juge de moduler la peine et de prononcer le sursis alors que le magistrat s'était vu reconnaître une liberté de plus en plus grande dans la détermination de la

---

15. M. Ancel, *La défense Sociale Nouvelle*, Ed. Cujas 2e éd., 1971, p. 202.

sanction et alors que l'institution du sursis avait été, au fil du temps, aménagée dans le sens de la plus grande souplesse. Alain Peyrefitte, père de la loi *Sécurité et Liberté*, s'en expliquait en ces termes: «Le juge doit avoir sa liberté, mais toute liberté doit avoir ses limites. Nous proposons de réviser ces limites par en haut et par en bas, pour un certain nombre d'infractions graves de violence, de sorte que les juges soient libres de choisir dans une proportion de 1 à 5 et non pas de zéro à l'infini... Quant au sursis, il sera octroyé aux auteurs de violences graves dans des conditions plus rigoureuses de nature à mettre le coupable en garde contre la récidive».

Ces «réformes», présentées comme de nature à limiter le laxisme des tribunaux — et qui s'appliquaient d'ailleurs aux cours d'assises, pourtant composées majoritairement de jurés, émanation directe du peuple — tournaient délibérément le dos à l'effort séculaire d'individualisation de la peine. Enserrant le juge dans des liens étroits, bornant son action en lui imposant un cadre rigide dont il ne pouvait s'évader, elles lui interdisaient tout effort de compréhension véritable. Essentiellement destinée à lutter contre la grande délinquance, on peut légitimement se demander si la loi nouvelle n'avait pas pour vertu de complaire à une large fraction de l'opinion publique, alarmée et traumatisée à juste titre par l'augmentation de la petite et moyenne délinquances.

L'abrogation des dispositions contestées de cette loi a fermé, dans l'histoire de notre droit pénal, une parenthèse aussi inutile que dangereuse.

La tendance actuelle au «tout pénal»

Depuis de nombreuses décennies, la plupart des textes en matière civile, sociale, commerciale, fiscale ou économique, voient leur inobservation sanctionnée pénalement. Tout se passe comme si notre société ne savait plus affirmer un principe sans recourir à la répression: la loi du 31 décembre 1975 sur la défense de la langue française réprime l'usage des termes étrangers par application de l'article 13 de la loi du 1er août 1905 sur la répression des fraudes; la loi du 8 juillet 1964 proscrit la création, pour les combats de coqs, d'un nouveau gallodrome, sous peine d'emprisonnement pouvant aller jusqu'à 6 mois...

L'ampleur de ce phénomène du «tout pénal» comme sa généralisation, apparemment inexorable, interdisent de n'y voir que l'effet mécanique de la nécessaire adaptation législative à l'évolution de la société et des techniques. Elle traduit, en réalité, une démarche reflétant une certaine conception de la vie sociale et a des conséquences particulièrement fâcheuses en perturbant l'appréhension que peut avoir le corps social de la délinquance tout en faussant l'image que se font les citoyens de la justice pénale.

Le fonctionnement des tribunaux répressifs s'en trouve gravement perturbé: ils finissent par succomber à l'asphyxie en voulant tout traiter convenablement et par rendre des décisions standardisées, tendance renforcée par l'apparition de l'informatique; ce qui se traduit dans les deux cas par une justice inefficace et inadaptée.

Le respect de la loi pénale par le citoyen s'en trouve gravement affecté. Il est évident, en effet, qu'à tout vouloir pénaliser on banalise l'infraction qui, privée de son support moral, finit par se confondre avec une réglementation technique dont la transgression est dépouillée de tout opprobre. A cet égard, la prolifération dans notre droit des «délits artificiels», par opposition aux «délits naturels», c'est-à-dire ceux que «tout homme, ou du moins tout homme civilisé connaît immédiatement»[16] prive le droit pénal de cette fonction essentielle perçue par Durkheim, qui consiste à traduire la société dans ce qu'elle a d'essentiel. Un acte est criminel «quand il offense les états forts et définis de la conscience collective».

Même les libertés s'en trouvent atteintes puisque la loi répressive est susceptible de frapper le citoyen dans toutes ses activités alors qu'elle ne devrait intervenir que pour sanctionner les manquements les plus graves aux règles sociales. Dans le même temps, des principes aussi essentiels que celui de la légalité des délits et des peines, qui veut qu'un acte ne puisse être sanctionné que si un texte l'a prévu, et son corrolaire suivant lequel «nul n'est censé ignorer le loi» sont bafoués et vidés de sens puisque tout concourt à rendre impossible la connaissance de la plupart des incriminations.

Le parquet et le principe de l'opportunité des poursuite

Le principe d'égalité devant la loi s'en trouve faussé par l'importance que prend la règle de l'opportunité des poursuite, en vertu de laquelle le parquet est, selon les textes, maître du déclenchement des poursuites et peut classer une procédure lorsqu'il lui apparaît que son prolongement jusqu'à son terme pourrait avoir des inconvénients plus grands que le profit social retiré par la sanction. Il est aisé de comprendre qu'un tel principe, indispensable à une justice qui, pour rester humaine, doit se ménager un minimum de souplesse, voit son application nécessairement bornée par sa finalité même. Le classement sans suite doit découler

16. M. Ancel, précité, *La défense sociale nouvelle*, p. 233.

de l'analyse d'une situation individuelle particulière et non pas, comme c'est de plus en plus souvent le cas, d'impératifs conjoncturels, dès lors qu'il apparaît que les magistrats, du parquet comme du siège, ne disposent pas du temps nécessaire pour traiter certaines infractions. L'on sait, par exemple, que dans le ressort de certains tribunaux des infractions telles que les contraventions aux règles de stationnement, les émissions de chèques sans provision, les vols dans les grands magasins, échappent à toute poursuite.

Ainsi, la transgression d'une même règle conduit ici à des sanctions, là, à l'impunité totale. Détournée de son but, dès lors qu'elle traduit un choix global de ce qui doit ou ne doit pas être sanctionné, la règle de l'opportunité des poursuites présente alors le risque non négligeable d'aboutir à d'inacceptables distorsions de la répression entre les différentes circonscriptions judiciaires; et ceci irait bien au-delà de ce que peuvent justifier des politiques criminelles légitimement menées par chaque parquet en fonction des situations locales particulières.

La loi s'en trouve affaiblie, voire déconsidérée, car il est toujours mauvais d'affirmer un principe lorsqu'on n'est pas en en mesure de le faire respecter. Il suffit de quelques lois inappliquées, parce qu'inapplicables, pour que la Loi tombe dans le mépris. La certitude de la répression, fondement d'une politique criminelle cohérente disparaît et, avec elle, le but préventif de la loi pénale.

L'intervention de l'exécutif dans la justice s'en trouve anormalement accrue. En effet, la multiplication de législations techniques transforme considérablement le rôle et la finalité du juge. Elle conduit inéluctablement à son annexion par le politique, la Justice n'étant saisie que lorsque la répression paraît utile à la politique menée à un moment donné dans un secteur donné. Le critère de la poursuite n'est donc plus forcément l'infraction à une loi positive mais réside dans les nécessités ou priorités qui découlent de la politique gouvernementale, par définition, éminemment variables dans le temps. L'action répressive n'est plus alors qu'un volet de l'action politique, un complément de l'action administrative. Une telle conception est d'ailleurs véhiculée, depuis de nombreuses années, par les circulaires de la Chancellerie en matière d'action publique. Ce mouvement se trouve facilité par la subsistance dans notre droit d'îlots dans lesquels le pouvoir, à travers certaines de ces administrations, continue de jouir des vieilles prérogatives monarchiques, sans que cet archaïsme soit sérieusement remis en cause: il en va ainsi lorsque le déclenchement de l'action publique par le parquet est subordonné au dépôt d'une plainte préalable de l'administration.

La justice dessaisie au profit de l'administration

Une telle plainte est indispensable notamment en matière de contributions directes et d'enregistrement, d'atteinte au crédit de la nation, d'infraction en matière de change et à la réglementation de la profession de banquier, d'infraction en matière d'affichage publicitaire. Il s'agit, on le voit, de domaines importants, dans lesquels le préjudice commis peut être considérable. Pourtant la justice, dépouillée de tout pouvoir autonome, n'agit qu'en tant qu'auxiliaire de l'administration qui va se servir d'elle comme d'une menace pour permettre de régulariser une situation ou pour obtenir, en toute extrémité, une peine exemplaire.

Plus encore, les poursuites engagées au bon vouloir de l'administration pourront être arrêtées par le retrait de sa plainte, qui a pour effet d'éteindre obligatoirement l'action publique. Enfin, certaines administrations se voient reconnaître le droit de transiger, et lorsque la transaction intervient, quelque soit le moment de la procédure et jusqu'à ce que la condamnation soit devenue définitive, elle éteint l'action publique et aucune peine ne peut plus être prononcée ou être mise à exécution. De telles prérogatives sont prévues, de manière générale, en matière fiscale, d'eaux et forêts, d'infraction à la police des transports routiers.

Tous ces mécanismes conduisent à une confusion fâcheuse des rôles du juge et de l'administration, et à la négation des principes essentiels de notre droit, notamment en ce qui concerne l'égalité des citoyens devant la loi, puisque les sanctions pénales dépendent du seul bon vouloir de l'administration.

A l'évidence, de telles règles devraient disparaître de notre droit et le mouvement amorcé par la loi du 9 juillet 1965, qui a rendu au ministère public sa liberté de décision dans la poursuite des infractions économiques en supprimant la plainte préalable de l'administration, devrait être poursuivie. On pourrait très bien concevoir, comme l'a fait cette loi, que l'avis de l'administration soit requis par le parquet avant que ce dernier puisse faire jouer, dans leur plénitude, les prérogatives qui sont les siennes. Il serait plus conforme à une justice démocratique que l'état se soumette au droit commun. L'image d'une justice inégalitaire, complaisante aux puissants, sévère pour les faibles que favorisent des mécanismes ignorés par le plus grand nombre, s'en trouverait certainement améliorée et la neutralité de l'Etat restaurée.

A terme, par ces dérives, c'est toute la conception libérale de la justice qui se trouve remise en cause au profit d'une justice bureaucratique, étroitement dépendante du pouvoir et incapable dès lors de remplir sa mission de garante des libertés individuelles et des droits de la personne.

Face à ce risque considérable, il serait urgent de redonner à la loi pénale la finalité qui est la sienne, à savoir, sanctionner les manquements les plus graves aux règles sociales, dépénaliser de nombreux actes qui pourraient voir leur commission sanctionnée par des mécanismes classiques, empruntés notamment au droit civil, borner la règle de l'opportunité des poursuites au strict domaine qui est le sien. L'évolution de l'Etat moderne, l'omnipotence qui le caractérise, la bureaucratisation qu'il favorise, peuvent faire désespérer qu'un tel infléchissement; l'enjeu est toutefois trop important pour que la résignation l'emporte.

Vengeance et réadaptation

Longtemps conçue comme une expiation des fautes commises, réaction fortement teintée d'irrationnel et de sacré répondant, ainsi que l'a expliqué Durkheim à une «satisfaction accordée à quelque puissance réelle ou idéale qui nous est supérieure», la peine avait pris la forme de supplices aussi effrayants que raffinés: le pal, la roue, l'huile bouillante, l'écartellement en sont les plus connus. La volonté d'exorciser le crime faisait partie du rituel de la mise à mort du criminel; «le point extrême de la justice pénale sous l'Ancien Régime était la découpe infinie du corps du régicide: manifestation du pouvoir le plus fort sur le corps du plus grand criminel dont la destruction totale fait éclater le crime dans sa vérité»[17]. Dans le même temps, nul ne doutait que le châtiment exemplaire constituait le seul moyen de lutter efficacement contre la criminalité par l'effet d'intimidation et donc de prévention qui en découlait. Muyard de Vouglans, en 1785, se faisait l'écho de cette préoccupation par cet aphorisme: «La douceur engage au crime et la rigueur des supplices est nécessaire pour en diminuer le nombre».

Répression et resocialisation

Une lente maturation devait, aux XIXe et XXe siècles permettre, au moins dans les principes, de rejeter progressivement de l'arsenal répressif tout ce qui atteignait l'individu dans sa chair — marque au fer rouge, amputation de la main du parricide, travaux forcés — puis d'enrichir la peine d'une fonction de prévention du crime. La peine pouvait ainsi devenir préventive par la réadaptation du délinquant qu'elle favorisait. A partir de la Libération, cette

---

17. Michel Foucault, *Surveiller et punir*, NRF Gallimard, 1974, p. 229.

préoccupation qui est au centre des théories de la «Défense sociale nouvelle», est devenue primordiale. Il s'agissait alors de mette en place une «politique active de prévention qui entend protéger la société en protégeant également le délinquant et qui vise à lui assurer, dans les conditions et par les voies légales, le traitement approprié à son cas individuel» [18]. Certains mécanismes, désormais pièces maîtresses de la justice pénale, telle la probation, se rattachent directement à ce courant et tendent à la réalisation de ses objectifs. L'action du juge n'y est plus conçue comme devant se terminer avec le prononcé de la peine, dès lors que celle-ci prétend être curative et tend à la resocialisation. Le juge de l'application des peines, chargé de personnaliser la sanction après son prononcé et de régler certains problèmes humains pendant la détention, a été la pierre angulaire dans la mise en œuvre des principes nouveaux. Cependant, faute de moyens, les réalisations n'ont pas toujours été à la hauteur des espérances.

Les substituts à l'emprisonnement

Cet effort de resocialisation a également conduit à réfléchir à la place qu'un système pénal doit accorder à l'emprisonnement, considéré pendant trop longtemps comme une panacée. Il est finalement apparu que si le recours à cette peine est bien souvent inévitable, il n'est pas sans danger, la prison pouvant, à son tour, devenir criminogène, notamment en raison de la promiscuité qui y règne et du prosélytisme qui peut en résulter. L'examen des taux de récidive après emprisonnement devrait permettre, au nom de la seule efficacité, de détrôner cette peine pour en faire un instrument, parmi d'autres, de la politique pénale. Afin d'éviter les courtes peines d'emprisonnement, jugées par tous les spécialistes comme désastreuses car «trop brèves pour permettre une véritable intimidation, et trop longues pour laisser intacts les liens sociaux et familiaux» [19], le législateur, par la loi du 11 juillet 1975 a créé des alternatives à l'emprisonnement. La faible application de cette loi (2% seulement des condamnations correctionnelles) a conduit le législateur à aller plus avant en offrant au juge, par la loi du 10 juin 1983, de nouvelles alternatives qui lui paraissaient mieux adaptées que les précédentes: le travail d'intérêt général — travail non rémunéré effectué au profit de la collectivité —, le système des jours amende dans lequel celle-ci est calculée en fonction de la somme que le condamné est en mesure d'économiser quotidiennement, ou l'immobilisation temporaire du véhicule.

18. M. Ancel, précité, *La défense sociale nouvelle*, p. 31.
19. J. Pradel, «Les nouvelles alternatives à l'emprisonnement», *Dalloz*, 10 mai 1984.

Pour une justice pénale efficace mais à l'abri des passions

Lorsque l'insécurité est apparue comme une des préoccupations majeures des français, l'intrusion de la justice pénale dans le débat politique et la récupération à des fins partisanes qui en est résultée, ont considérablement obscurci le débat en schématisant jusqu'à la caricature ce qui est irréductiblement complexe et en isolant, artificiellement, ce qui ne peut être séparé du système global sans le défigurer. Si l'on veut bien considérer que ce n'est pas un acte qui est jugé mais l'acte commis par un être responsable que les progrès intervenus dans la psychiatrie, la sociologie, la médecine permettent de mieux appréhender, si l'on veut bien admettre que l'action pénale doit tendre à sanctionner la faute dans le respect scrupuleux de la dignité humaine qu'aucun impératif, aussi élevé soit-il, ne peut permettre de bafouer, si l'on veut bien comprendre qu'il est de l'intérêt de la société de chercher à prévenir le crime, on peut alors porter un jugement sur notre système répressif, avec ses bienfaits, ses erreurs et ses limites.

La démarche à suivre, inspirée de ces principes n'est pas pour autant aisée et les écueils à éviter sont nombreux. La peine doit tendre à la rééducation du délinquant, faute de quoi tout effort est vain. Mais il faut éviter que ce souci aille jusqu'à exclure son aspect rétributif[20] qui en fait un élément de cohésion sociale; ce que soulignait Durkheim lorsqu'il voyait dans la peine «le signe qui atteste que les sentiments collectifs sont toujours collectifs, que la communion des esprits dans la même foi reste entière, et par là elle répare le mal que le crime a fait à la société».

Par ailleurs, il faut se garder du dogmatisme, rassurant pour l'esprit, qui pose comme un postulat qu'il n'existe pas d'être humain qui ne soit récupérable. Force est de constater que, dans certains cas, la réadaptation doit céder la place à la neutralisation, seul moyen de protéger la société. Si la connaissance du délinquant, notamment au travers des enquêtes de personnalité, constitue l'élément indispensable de l'individualisation du prononcé de la peine, il faut éviter d'aller vers une «médicalisation» de la justice où l'investigation finit par devenir une fin en soi et conduit à une emprise totale de la société sur l'individu par le contrôle sans fin que celle-ci prétend exercer sur lui. Il faudra, à cet égard, se souvenir de Michel Foucault lorsqu'il écrit: «Le point idéal de la pénalité aujourd'hui serait la discipline indéfinie: un interrogatoire qui n'aurait pas de terme, une enquête qui se prolongerait sans limite dans une observation minutieuse et tou-

20. Son aspect «sanction».

jours plus analytique, un jugement qui serait en même temps la constitution d'un dossier jamais clos, la douceur calculée d'une peine qui serait entrelacée à la curiosité acharnée d'un examen, d'une procédure qui serait à la fois la mesure permanente d'un écart par rapport à une norme inacessible et le mouvement asymptotique qui contraint à la rejoindre à l'infini»[21].

La peine, enfin, doit rester une sanction parce qu'elle est le corrolaire de la responsabilité individuelle, notion sur laquelle repose la liberté et la dignité humaine parce que les individus ne sont pas interchangeables et que, placés dans des situations analogues, les uns deviendront criminels et les autres pas.

---

21. Michel Foucault précité, *Surveiller et punir*, p. 229.

CHAPITRE 3

La justice: un enjeu des luttes économiques et sociales

De caractère quasiment confidentiel jusqu'à ces dernières années, les questions économiques et sociales échappent à la sphère d'initiés auxquels elles étaient réservées. Elles font actuellement la une de l'actualité et sont l'objet de débats passionnés dans l'opinion. Que l'on se souvienne de l'écho rencontré par l'affaire Lip, et, plus près de nous, du retentissement considérable des affaires Creusot Loire et Manufrance.

Paradoxalement, le rôle de la justice, dans ces domaines que la crise a révélés comme essentiels pour la survie même de notre société demeure très mal connu. Le cliché d'une justice à la Daumier, poussiéreuse et dépassée continue d'exercer ses ravages et l'écran qu'il dresse entre la caricature et la réalité empêche de percevoir, et donc de comprendre, ses métamorphoses. Elle se trouve désormais au centre des questions économiques et sociales. C'est d'ailleurs en grande partie pour cette raison qu'elle est devenue un enjeu des luttes politiques.

La distinction entre l'économique et le social n'a pas fini de faire couler de l'encre et, au-delà des discussions doctrinales, les conséquences qui en découlent, tant sur la conception même de notre justice en ces domaines, que sur son mode d'organisation sont essentielles. A l'évidence, l'approche économique et l'approche sociale sont spécifiques: la première s'intéresse par priorité à tout ce qui concerne la production et la distribution des biens et des services, l'entreprise en est la préoccupation centrale et la liberté la valeur de référence; la seconde privilégie les conditions de vie et les possibilités d'épanouissement des individus, l'égalité la guide. Cette spécificité ne signifie pas pour autant qu'il existe une séparation étanche entre l'économique et le social; il est même souvent difficile de tracer la frontière entre l'un et l'autre tant leur imbrication est grande et leur interaction évidente. L'entreprise, par exemple, n'est-elle pas tout à la fois une unité de production, tournée vers le profit et l'outil de travail indispensable au maintien de l'emploi? Selon J. Fournier et N. Questiaux, cette spécificité ne semble pas devoir aller au-delà de «deux méthodes d'approche d'une même réalité» car tout concourt à démontrer que l'évolution économique a fait apparaître des conflits et engendré des problèmes sociaux dont les solutions ont eu un retentissement sur le fonctionnement même de l'économie, de telle sorte qu'«il existe entre l'économique et le social une relation dialectique. L'économie appelle le social. Le social réagit sur l'économique.» Il n'en demeure pas moins vrai que ces deux domaines répondent à des logiques et à des méthodes qui leur sont propres. Il n'est pas inutile de préciser que pour que «l'économique appelle le social», encore faut-il qu'il lui préexiste...

Dès lors, il n'est pas étonnant qu'au niveau de l'organisation judiciaire, cette spécificité ait conduit à la mise en place de deux types de juridiction: les règles du monde des affaires sont mises en œuvre par le tribunal de commerce et celles qui tendent à la protection des salariés et à leur épanouissement relèvent de la compétence des Conseils de prud'hommes.

Chaque juridiction intervient avec l'approche et la sensibilité qui lui sont propres. Cependant, l'une ne peut ignorer les préoccupations de l'autre sans se condamner à l'inefficacité; leur lien doit résulter d'une législation d'ensemble cohérente prenant en compte les réalités concrètes du moment.

Parce que la conciliation entre l'économique et le social est par essence un choix politique ne constituant, en fin de compte, que l'illustration du problème plus général de l'aménagement de la valeur de liberté avec celle d'égalité, il y aurait quelque péril à créer une magistrature économique et sociale comme l'ont préconisé certains. Le risque serait grand qu'elle fasse prévaloir, pour des raisons dogmatiques, une approche des problèmes au détriment de l'autre. Il y a quelques raisons d'être réservé sur une réforme que quelques-uns n'envisagent que comme un moyen parmi d'autres pour parvenir à une rupture avec le capitalisme, «la participation des salariés» dans les juridictions à créer s'entendant d'une participation conflictuelle car «l'antagonisme entre le capital et le travail est à ce point irréductible que la seule voie de salut pour les travailleurs est l'action revendicative et non la voie participative.»[1]

---

1. *Droit des faillites et restructuration du capital*, Presses Universitaires de Grenoble, 1982, p. 250.

Toutefois, au-delà de la diversité de leur mission, le parallèle entre la juridiction consulaire et la juridiction prud'homale doit être souligné: l'une et l'autre, façonnées par l'histoire, répondent à la nécessité dans laquelle se trouve la justice de s'adapter à un droit particulier en y apportant des solutions spécifiques; par une dynamique propre, ces deux juridictions ont accentué le particularisme du droit qu'elles appliquent; l'une et l'autre conduisent à s'interroger sur les règles qui, dans ces domaines, doivent gouverner les rapports entre juges élus et magistrats professionnels. Les tribunaux de commerce et les Conseils de prud'hommes illustrent le regain d'intérêt dont bénéficient depuis quelques années les juridictions paritaires, jusqu'alors souvent considérées comme des juridictions au rabais; ceci peut s'expliquer par «la lente érosion de la juridiction de droit commun qui tend à perdre une partie de son crédit»[2]. Ils consacrent l'emprise des milieux professionnels sur les contentieux parmi les plus sensibles et les plus importants de notre droit.

La justice et le monde des affaires

Les bouleversements du droit commercial

Inconnu au Moyen Age, fortifié par l'œuvre de Colbert, codifié sous Napoléon, le droit commercial s'est surtout développé au XIXe siècle avec l'essor du capitalisme libéral dont il est devenu l'instrument privilégié en offrant des mécanismes adaptés aux besoins d'une économie fondée sur la liberté des transactions du commerce. L'innovation majeure, à cet égard, devait résider dans l'organisation des sociétés par action, et particulièrement des sociétés anonymes, avec la loi du 24 juillet 1867.

Le droit commercial devait ultérieurement étendre son domaine d'action, au fur et à mesure que tombaient les barrières qui enserraient le commerce: la propriété industrielle, l'exploitation des mines, l'entreprise agricole témoignent de cette remarquable extension et des conquêtes du droit commercial sur le droit civil[3]. Ne cessant d'évoluer avec une rapidité et une complexité croissantes, il tend maintenant à devenir, comme le soulignait le premier président Monguilan «le droit de l'entreprise». Dégagé progressivement de l'ordre civil, il inclut dans son domaine l'essentiel de la production, les circuits de circulation et la distribution des richesses, ainsi que la défense des consommateurs. L'évolution

---

2. B. Boubli, *Les prud'hommes,* que sais-je? PUF, 1984, p. 7.

3. A. Jauffret, *L'extension du droit commercial à des activités traditionnellement civiles,* Etudes offertes à Pierre Kayser, T. 2, 1979, pp. 59 et suivantes.

opérée est considérable qui a vu le droit commercial, à l'origine droit des marchands, se transformer au cours des siècles pour devenir le droit des affaires ou droit économique. Dès lors, il peut paraître étonnant que la juridiction consulaire, qui est son mode d'élaboration et d'expression privilégié, ait connu par contraste une stabilité remarquable, nous parvenant quasiment inchangée plusieurs siècles après sa création.

En effet, «lorsque la Renaissance a vu le jour, avec le développement du pouvoir royal et ses exigences financières, le commerce et l'industrie ont eu besoin de structures différentes de celles du corporatisme, nouvelles, libres et dynamiques pour avoir tout l'essor possible, et les juridictions consulaires ont été une de ces structures essentielles.»[4] L'apparition de ces juridictions a en effet coïncidé au XVIe siècle avec l'essor du commerce dans les grandes places d'Italie, de la Vallée du Rhône, des Flandres et de l'Angleterre. Le roi, cherchant à favoriser le commerce va, entre autres mesures, créer une juridiction nouvelle réservée aux seuls marchands dans le souci de voir rendre une sorte d'arbitrage fondé sur l'équité et la loi du commerce, symbole du particularisme naissant d'un droit nouveau, progressivement détaché du droit civil[5]. A cet égard, la juridiction consulaire créée en 1549 à Toulouse par l'édit d'Henri II, puis progressivement généralisée à l'ensemble du royaume, apparaît bien comme l'ancêtre direct de l'institution que nous connaissons aujourd'hui. En 1673, le système d'élection de ses membres, comme sa compétence, furent alignées sur le modèle parisien par les ordonnances de Colbert. Créée en faveur des marchands auxquels étaient concédés des avantages particuliers en dehors de la loi commune, cette juridiction devait traverser indemne la période révolutionnaire, alors que toute l'organisation corporative de l'Ancien Régime était balayée par la loi Le Chapelier des 2 et 17 mars 1791. Plus encore, la Constituante, favorable à cette magistrature issue de l'élection, étendit la compétence des juridictions consulaires aux procès maritimes jusque-là du ressort du tribunal de l'Amirauté, alors supprimé.

Des structures juridictionnelles immuables

Depuis la révolution, la création des tribunaux de commerce a dépendu du pouvoir réglementaire; leur nombre, leur siège et leurs effectifs ont peu varié depuis le décret du 6 octobre 1809.

---

4. Jacques Belisle Fabre, *Le livre blanc des tribunaux de commerce*, Imprimerie Maulde et Renou, Paris, 1982.

5. Lefas, «De l'origine des juridictions consulaires des marchands de France», *Revue de l'histoire de Droit français et étranger*, 1924, p. 82.

Comment expliquer une aussi grande constance si ce n'est par la permanence des impératifs auxquels cette juridiction permet de répondre et qui sont la rapidité, la liberté et la sécurité dont, sur le plan juridique, le commerce a besoin pour vivre et prospérer. C'est à ces impératifs que répond le droit commercial, et la juridiction consulaire constitue, par son organisation et son fonctionnement, l'instrument adapté à ces nécessités.

Si la rapidité des opérations de commerce justifie, en grande partie, l'existence d'un droit commercial, caractérisé notamment par un particularisme de la preuve, encore faut-il que cet impératif se retrouve sur le plan juridictionnel. D'ailleurs, la juridiction consulaire avait été pensée dans l'édit de 1563 comme devant permettre «l'abréviation de tous procès et différends entre marchands». La liberté souvent manifestée par des solutions de pratique qui ne relèvent d'aucun principe de doctrine, se retrouve dans le caractère arbitral de la décision fondée sur l'équité comme dans le fait qu'elle soit rendue par des pairs[6]. Ici encore, l'édit de Charles IX l'avait voulu puisqu'il disposait que pour régler leurs différends, les marchands doivent «négocier ensemble et de bonne foi, sans être astreints aux subtilités des lois et ordonnances». La sécurité, enfin, découle de la force exécutoire qui est conférée par le législateur aux décisions des tribunaux de commerce.

La juridiction consulaire est si fortement implantée dans nos institutions judiciaires que la question de sa suppression ne se pose guère. En revanche, on peut s'interroger sur l'adaptation de son fonctionnement aux exigences du temps. Les litiges actuels, pour l'essentiel, ne ressemblent en rien à ceux pour lesquels les tribunaux consulaires ont été institués et qui opposaient les membres des corporations et les marchands des foires de la Renaissance. Si les contestations se réglaient alors selon les usages et d'après les règles élémentaires d'honnêteté, elles requièrent aujourd'hui la connaissance de mécanismes complexes, la maîtrise d'une législation dense dans des domaines aussi variés que le fonctionnement des sociétés, la responsabilité des banquiers, les questions de propriété industrielle; encore ces difficultés ne se limitent-elles pas au seul droit interne puisque le développement des échanges commerciaux entre états nécessite une connaissance de plus en plus approfondie des législations étrangères et des règles du droit international. Toutes ces données ont concouru à «donner un nouveau visage aux tribunaux de commerce et une mission plus vaste aux magistrats consulaires»[7]. Le bouleverse-

6. Cf. Jacques Belisle Fabre, précité.
7. Rapport au garde des Sceaux de M. le Premier Président Monguilan, sur les Tribunaux de commerce, 1974.

ment est tel qu'il est permis de se demander si la composition des juridictions consulaires, leur répartition géographique et la tâche même qui leur est assignée ne doivent pas être revues.

Système mixte ou échevinage

La vraie question est donc de savoir s'il ne conviendrait pas de substituer au système actuel — qui veut que la juridiction consulaire soit composée exclusivement de commerçants acceptant bénévolement d'exercer des fonctions juridictionnelles — celui de l'échevinage, dans lequel le magistrat de carrière est entouré de commerçants. Un tel projet, repris et amplifié par le Garde ses Sceaux Robert Badinter, n'avait été abandonné in extremis que pour des raisons matérielles tenant à la difficulté de dégager le nombre suffisant de magistrats pour ces nouvelles fonctions. Ce projet avait alors entraîné une très vive hostilité des juges consulaires et du monde patronal; le Président du Tribunal de commerce de Paris, M. Carcassonne avait démissionné avec éclat. Les partisans du statu-quo contestaient l'utilité de modifier un système qui avait fait ses preuves. Ils rappelaient que la durée moyenne des procédures devant les tribunaux de commerce est courte, que le taux des appels est faible et qu'il n'en est ainsi que parce que les magistrats consulaires sont parfaitement armés pour affronter la réalité du monde économique. Ils affirmaient, en outre, que leur sens des affaires, leurs réflexes professionnels, leur connaissance de la pratique et des comportements, faisaient d'eux d'excellents juges du fait. Et s'ils admettaient que la motivation juridique de leurs décisions accusait parfois quelques faiblesses, ils rappelaient que c'est à la Cour d'appel qu'il appartient de substituer d'autres motifs, comme il appartient à la Cour de cassation, au stade ultime, d'unifier la jurisprudence et d'exercer sa critique sur les décisions qui lui sont déférées.

Si ces arguments ne sont pas dépourvus de pertinence, ils ne semblent pas pour autant de nature à condamner une évolution vers l'échevinage. Cette formule rapprocherait notre juridiction commerciale de celle des autres pays d'Europe où il n'existe pas de juridiction homogène de commerçants mais la plupart du temps de Tribunaux mixtes, ainsi en Belgique et en Allemagne; elle conduirait d'ailleurs à un alignement sur notre système d'Alsace-Lorraine et d'Outre-Mer. Ne serait-elle pas de nature à concilier la tradition française, attachée à une justice corporative en la matière, avec la nécessité de doter ces juridictions de magistrats rompus tant aux techniques du droit privé interne qu'à celles du droit communautaire? N'éviterait-elle pas les risques d'abus inhérents à tout système corporatif en sauvegardant ses incontestables aspects positifs? Ne permettrait-elle pas une meilleure prise en compte, par les juridictions consulaires, du nouvel ordre public économique caractérisé par l'intervention accrue de l'Etat dans les mécanismes économiques. La magistrature française y gagnerait aussi en s'ouvrant au monde des affaires et en participant davantage à la vie économique de la nation.

Une implantation géographique anachronique

Indépendamment de cette réforme essentielle, on peut se demander si la prise en compte de l'ordre public économique indispensable pour que la justice commerciale soit en harmonie avec l'économie moderne, ne peut pas s'articuler autour du parquet, en raison du rôle important déjà reconnu à ce dernier dans le fonctionnement des juridictions consulaires, et qui pourrait être encore accentué par la généralisation de son droit d'appel, aujourd'hui limité à certaines matières. Mais pour que les parquets puissent remplir pleinement leur rôle encore faut-il qu'ils ne soient pas contraints de se disperser devant de nombreux tribunaux de commerce. Ceux-ci ne pourront s'acquitter efficacement de leur tâche que s'ils sont correctement et constamment informés. Il faut donc qu'ils regroupent un nombre relativement important de magistrats consulaires et connaissent une activité suffisante. Il est essentiel que les nouveaux juges élus aient la possibilité de se former et de s'entraîner en participant au jugement des affaires, ce qui suppose, évidemment un nombre suffisant de procès[8]. Or, l'implantation actuelle des tribunaux de commerce, qui n'a pas varié depuis de très nombreuses années, ne répond plus, dans bien des cas, aux mutations économiques considérables qui se sont produites: des centres autrefois prospères sont en déclin et les tribunaux de commerce qui s'y trouvent voient leur activité se réduire comme peau de chagrin; inversement, des tribunaux de commerce situés dans des villes importantes, au cœur de régions en plein essor, connaissent du fait de l'existence d'autres tribunaux de commerce à proximité une assise territoriale qui nuit à leur rayonnement.

Un regroupement des 227 tribunaux de commerce actuels apparaît donc indispensable, même s'il est politiquement délicat à réaliser; ceci explique d'ailleurs que les conclusions du rapport Monguilan de 1975, préconisant une telle réforme, n'aient pas été suivies d'effets. Le législateur avait pourtant déjà perçu cette

---

8. J. Foyer, in *La refonte du droit de la faillite,* Publications de l'Université de Lille (PUL), 1978, p. 156.

nécessité de regroupement: lorsqu'a été prise l'ordonnance du 23 septembre 1967 tendant à faciliter le redressement économique et financier de certaines entreprises par l'instauration d'une procédure de suspension provisoire des poursuites et d'apurement collectif du passif en faveur d'entreprises d'intérêt national ou régional, il fut décidé qu'un nombre restreint de tribunaux[9] serait habilité à connaître de ces procédures. Ce choix soulignait combien la complexité des problèmes juridiques et des mécanismes économiques nécessite, dans un souci d'efficacité, de ne confier la connaissance de certaines questions qu'à un nombre limité de juridictions. Il reposait également sur l'idée que seuls des grands tribunaux de commerce sont capables, par leur détachement des intérêts privés et locaux, de décider des entreprises qui doivent vivre et de celles qui doivent être condamnées, et qu'ils possèdent le recul suffisant pour ne pas être tentés de faire survivre artificiellement des entreprises d'intérêt local[10].

Tribunaux de commerce et entreprises en difficultés

D'autre part, il était apparu que de telles juridictions étaient également mieux à même de résister aux pressions considérables qui s'exercent sur les juges du commerce, notamment en matière de faillite. L'Etat, pour des raisons d'opportunité politique, intervient souvent de tout son poids pour que telle solution, jugée socialement ou politiquement moins explosive, soit substituée à une autre. Si cette intervention se traduit par une contribution de nature à changer les données financières de la situation, on peut admettre qu'elle puisse parfois modifier, ne serait-ce qu'à titre conservatoire, la solution qui devait être prise; il en va différemment lorsque l'Etat ne s'engage pas. «C'est ainsi qu'ont été accordées des suspensions provisoires des poursuites dans des affaires qui relevaient du règlement judiciaire et des règlements judiciaires pour des causes qui imposaient la liquidation des biens. C'est ainsi encore que, pour désamorcer les explosions que pourrait faire naître un arrêt immédat de l'entreprise, suivi d'un licenciement collectif, les pouvoirs publics demandent qu'on établisse une solution progressive qui consiste le plus souvent à créer une société de gérance qui peut donner l'illusion d'un nouveau départ alors que seule une réduction drastique des coûts et des activités de l'entreprise permettrait de la sauver.»[11]

---

9. Fixé à 10 par le décret du 31 décembre 1967.

10. «La procédure collective et la juridiction consulaire», in *La refonte du droit de la faillite,* p. 61.

11. Professeur C. Champaud, in *La refonte du droit de la faillite,* p. 127.

A ces pressions de l'Etat s'ajoutent celles des syndicats naturellement désireux qu'une procédure collective ne se traduise pas par des licenciements. C'est enfin la presse qui accorde une importance toujours plus grande aux difficultés économiques que peuvent connaître les entreprises et qui agit à la fois comme caisse de résonance et comme amplificateur de l'intérêt passionné du public pour les événements judiciaires qui vont traduire ces difficultés au plan des procédures collectives... «la rumeur d'un dépôt de bilan suscite une fièvre sociale, un jugement de liquidation des biens crée les conditions d'une émeute, le prononcé d'une décision de suspension de poursuites ramène la sérénité collective...»[12]

Le rôle du juge, en ce domaine, tant à travers la diversité de ses interventions que des finalités de sa mission apparaît considérable même s'il se trouve largement occulté par celui que l'Etat joue dans les activités privées. En effet, l'Etat intervient dans des organismes tels que la CIASI (Comité Interministériel pour l'Aménagement des structures industrielles) et, à l'échelon départemental, les CODEFI (Comités Départementaux d'Examen des Problèmes de Financement). Ce qui explique qu'aux yeux du public, seul le ministre des Finances est considéré comme compétent en la matière. Si l'entreprise est en état de cessation des paiements, mais qu'elle présente des chances de redressement parce que le débiteur est en mesure de proposer un concordat sérieux, le tribunal prononcera le règlement judiciaire; si, au contraire, elle ne présente aucune chance de survie, c'est la liquidation des biens qui sera prononcée; enfin, dernière hypothèse, si la disparition de l'entreprise est de nature à causer un trouble grave à l'économie nationale ou régionale et que l'entreprise est en situation financière difficile, mais non irrémédiablement compromise, le tribunal peut décider d'appliquer la procédure spéciale de suspension provisoire des poursuites et d'apurement collectif du passif[13]. On le voit, les tribunaux ont ainsi le pouvoir d'éliminer les entreprises qu'ils jugent non viables, d'autant que les poursuites peuvent être déclenchées d'office.

Le choix est fondé sur des considérations d'ordre économique: savoir, comme la Cour de cassation l'exige, si l'entreprise est capable de se redresser et d'être ainsi sauvée. Mais le juge n'a plus seulement pour mission de sanctionner le dirigeant failli, ou de payer les créanciers au premier rang desquels se trouvent les salariés, il participe aussi au sauvetage de l'entreprise, base du

---

12. C. Champaud, précité, pp. 115 et 116.
13. G. Rives, in *La refonte du droit de la faillite*, p. 97.

maintien de l'emploi, toutes les fois que c'est possible et notamment par la prévention. Auparavant peu répandue, cette idée s'est surtout imposée avec l'affaire LIP. Le sauvetage des entreprises s'était en effet révélé privé d'effets dans la mesure où l'intervention judiciaire s'avérait la plupart du temps trop tardive. Le rapport Sudreau sur l'entreprise de 1975 avait essayé d'en tirer les enseignements en préconisant, pour prévenir le règlement judiciaire ou la liquidation des biens, des mécanismes qui constituent une «sonnette d'alarme». Ce rôle préventif a été pris en compte par la plupart des juridictions grâce à leur greffe. C'est ainsi que celui de Paris possède une banque de données économiques considérables à laquelle plus de 1 000 notaires sont reliés par l'informatique; il peut permettre au tribunal d'exercer «une politique systématique de détection précoce des difficultés des entreprises». Le tribunal de Nanterre et celui de Paris sont alertés par l'informatique de leur greffe dès qu'une entreprise a huit incidents. Enfin, dans de nombreux tribunaux, un juge est chargé de suivre les informations fournies par le greffe. Après rapport au président, ce dernier reçoit le chef d'entreprise et l'invite soit à prendre les mesures nécessaires au redressement de son entreprises, soit à prendre le cas échéant, conseil d'un expert comptable ou d'un financier, soit, s'il le faut, à déposer son bilan. Ce souci de prévention, reposant sur des solutions pratiques, permet d'intervenir à temps pour, sans éviter un dépôt de bilan, limiter au moins les conséquences d'une poursuite désastreuse. Il a été heureusement accentué, d'abord par la loi du 15 octobre 1981 qui a élargi les possibilités d'intervention du ministère public dans les procédures collectives, ce qui est de nature à généraliser la pratique du dépistage des entreprises en difficultés, puis par la loi du 1er mars 1984 qui a mis en place des dispositifs d'alerte et d'assistance, voire de règlement amiable des difficultés naissantes lorsque l'évolution défavorable se confirme. Sous l'égide du tribunal de commerce, les dirigeants pourront ainsi obtenir des créanciers, des délais de paiement dans le cadre du règlement amiable ou des remises de dettes dans le cadre du plan de redressement[14].

Une justice économique et sociale: les pièges de la confusion des genres

Ce rôle considérable des tribunaux de commerce dans le droit de la faillite leur a d'ailleurs été reproché; il est apparu indécent à

---

14. «La prévention et le règlement amiable des difficultés des entreprises», commentaire de la loi du 1er mars 1984, J. Mestre, G. Flores, *Lamy*, avril 1984, études C, pp. 1 à 39.

certains[15] que des commerçants, chefs d'entreprise aient le pouvoir, après le dépôt de bilan de l'un d'eux, de prendre une décision qui débouchera sur des licenciements alors que le chef d'entreprise lui-même n'avait ce pouvoir qu'avec l'autorisation de l'inspecteur du travail. D'autres ont préconisé que le domaine des entreprises en difficultés relève de la compétence d'une magistrature économique et sociale dans la composition de laquelle les salariés auraient leur place.

Ces idées seraient intéressantes si n'existait pas, sous-jacente, la conception du prima du social sur l'économique qui, immanquablement conduit à confondre ce qui doit être soigneusement distingué: le souci légitime de prévention et celui plus contestable de sauvetage et de repêchage des «canards boîteux». Le Professeur du Pontavice avait souligné, avant que tout le monde finisse par en convenir, que «les mesures de reclassement des travailleurs accompagnés de formation professionnelle accélérée coûteraient probablement moins cher à l'Etat que la survie généralement temporaire d'une affaire qui a cessé d'être viable.»[16]

On voit mal, dès lors, ce qui, au-delà de l'échevinage et du redécoupage de la carte des juridictions, pourrait justifier une remise en cause profonde de notre système. «Face à des syndicats naturellement portés, et c'est leur mission, à être les défenseurs inconditionnels de l'emploi, à des pouvoirs publics, pressés de toutes parts par des sollicitations et des requêtes passionnées, les tribunaux de commerce sont seuls à offrir un détachement suffisant pour prendre la décision qui s'impose... les tribunaux de commerce sont les seuls capables de prendre cette décision à bon escient.»[17] En effet, la décision à prendre est essentiellement financière et économique; elle ne peut être, sans de graves conséquences, fondée sur des intérêts politiques immédiats et notamment électoraux; ici encore la règle de la séparation des pouvoirs n'est que le moyen d'une saine répartition des rôles.

Parce que son retentissement est nécessairement social, il appartient au droit du travail de prendre le relais pour protéger, autant que faire se peut, le salarié[18]. C'est ainsi que ce dernier se trouve protégé par l'interprétation large qui fait la jurisprudence de l'article L. 122-12 alinéa 2 du Code du travail, relatif à la modification de la situation juridique de l'employeur et qui veut que les contrats des salariés, dont l'employeur est déclaré en liquidation

---

15. Jéol, *Changer la justice,* Simoën, 1977.
16. E. du Pontavice, in *La refonte du droit de la faillite,* p. 15.
17. Livre Blanc des Tribunaux de commerce, 1982 précité.
18. F. Derrida, «La sécurité de l'emploi et le droit des procédures collectives», *Droit social,* Librairie sociale et économique, fév. 1978.

des biens ou mis en règlement judiciaire, continuent avec la masse des créanciers, dès lors que l'exploitation se poursuit. Et lorsque le fonds est donné en location gérance par le syndic, l'exécution des contrats de travail se poursuit alors avec le locataire gérant[19]. Par ailleurs, la loi du 27 décembre 1973, intervenue à la suite de l'affaire LIP a créé l'Agence de Garantie des Salaires (AGS) grâce à laquelle les salariés percevront quoiqu'il arrive, une partie non négligeable de leurs salaires lorsque l'entreprise fera l'objet d'une procédure collective. Enfin, la loi de 1975 a prévu, en matière de licenciements économiques, l'autorisation administrative préalable à laquelle ceux-ci se trouvent surbordonnés. On se trouve ici sur un autre terrain, avec des préoccupations différentes, même si les deux plans sont étroitement imbriqués, ne serait-ce que parce que la première protection du salarié est l'existence d'une entreprise viable.

La justice et le monde du travail

Certes, dans ce qu'il est convenu d'appeler le domaine du «social», les questions relatives aux problèmes du travail ne sont plus seules prises en compte. Désormais, une place plus importante doit être faite à la protection sociale, par le biais de la sécurité sociale et de sa généralisation progressive, source d'un important contentieux soumis à des juridictions spécialisées de l'ordre judiciaire, les Commissions de première instance. Toutefois, dans le contexte de crise économique qui caractérise notre société, traumatisée par le chômage, et dès lors sensible à tout ce qui touche l'emploi, c'est incontestablement l'intervention de la justice dans le domaine du droit du travail qui polarise l'attention.

L'étude historique du droit du travail révèle l'émergence de cette matière, au milieu du XIXe siècle, sorte d'antidote aux effets conjugués de l'industrialisation et du libéralisme intégral, causes d'inégalité sociale, de misère et d'insécurité du monde du travail. Elle reflète à travers ses tâtonnements et ses développements la nécessité d'une législation traduisant l'intervention protectrice de l'Etat dans les rapports et les conditions du travail laissées jusqu'a-lors à l'arbitraire patronal camouflé sous l'apparence trompeuse de l'égalité formelle des parties contractantes[20]. Elle souligne la

---

19. H. Sinay, «Stabilité de l'emploi et transfert d'entreprise, *Juris-classeur périodique*, 1961, 1, 1647.

20. L'impératif de protection du salarié trouve sa source, en 1892, d'une part dans la loi sur la limitation de la durée du travail 10 heures pour les enfants de 13 à 16 ans, 11 heures pour les enfants de 16 à 18 ans et pour les femmes, d'autre part dans celle sur les accidents du travail qui dispense le salarié de prouver la faute de son employeur et lui assure une réparation automatique, mais, en contre partie, forfaitaire.

consécration des rapports collectifs, à partir de la loi du 21 mars 1884 sur la liberté syndicale et le souci manifesté dès la loi sur les conventions collectives de 1919 d'organiser un dialogue entre employeurs et salariés qui devait conduire à la consécration de droits sociaux et permettre l'élaboration d'un véritable statut du travailleur; elle permet de percevoir une tendance, encore à peine ébauchée, au contrôle du travailleur sur la vie de l'entreprise par des institutions telles que les délégués du personnel et surtout les comités d'entreprises, nés à la Libération.

Cette matière, longtemps considérée comme «le droit spécial du contrat de travail» et étudiée dans les Facultés sous le nom de «législation industrielle», délaissée par les juristes comme secondaire, négligée, voire ignorée par la justice, revêt aujourd'hui une importance essentielle tant ses implications humaines, sociales, économiques, politiques sont considérables. En effet, le droit du travail «concerne les individus dans leur vie quotidienne et dans une activité fondamentale de leur existence personnelle. Il est en rapport étroit avec le fonctionnement de l'économie et la structure de la société, sensible à l'influence des idéologies et du sort des luttes sociales et politiques dont il est un enjeu, soumis aux vicissitudes de la conjoncture et de la politique sociale.»[21]

Compte tenu de la dimension nouvelle ainsi reconnue au social, de son impact considérable dans l'opinion publique, il n'est pas étonnant que la valeur et la crédibilité de la justice se mesurent aujourd'hui en grande partie à l'aune de son intervention en droit du travail.

C'est, en effet, de la compétence judiciaire que relèvent, dans notre système actuel, la plupart des litiges en ce domaine puisque leur connaissance se trouve dévolue à de nombreuses juridictions appartenant à cet ordre selon la nature des conflits à trancher. Si le Conseil de prud'hommes en est la plus connue et la plus originale, il ne faut pas pour autant perdre de vue que le Tribunal de grande instance est seul compétent pour se prononcer sur tous les litiges relatifs à la participation des salariés aux fruits de l'expansion des entreprises prévue par l'ordonnance du 17 avril 1967 et pour connaître de l'interprétation d'une convention collective qui donne lieu à controverse en dehors de tout litige individuel. Dans le cadre de sa compétence relative à la mise en règlement judiciaire ou en liquidation de biens des entreprises en difficultés, le Tribunal de commerce tranche les problèmes concer-

21. P. Ollier, *Le droit du travail,* Armand Collin, 1972, p. 14.

nant les salariés de ces entreprises. Le Tribunal d'instance connaît en dernier ressort du contentieux des élections des membres des comités d'entreprises ou des délégués du personnel et de celui de la désignation des délégués syndicaux. Les juridictions répressives — tribunal de police, tribunal correctionnel — interviennent fréquemment dans l'application des règles de droit du travail dans la mesure où les violations de celles-ci sont de plus en plus souvent érigées en infractions. Ainsi qu'on l'imagine aisément, cette multiplication de juridictions pour connaître d'un contentieux qui met en jeu des règles très voisines se rapportant au même objet et obéissant pour leur application à la même logique juridique, ne va pas sans présenter de nombreux inconvénients. Et dans cet enchevêtrement, le justiciable a bien du mérite à retrouver son juge! Que dire alors de l'intervention concurrente des juridictions de l'ordre judiciaire et de l'ordre administratif, au nom de la séparation des pouvoirs, toutes les fois que ces dernières connaissent des recours contre des décisions administratives individuelles, notamment celles des inspecteurs du travail autorisant ou refusant le licenciement d'un représentant des salariés ou en cas de licenciement pour cause économique. Pourtant, cet éparpillement de la justice du travail ne saurait masquer le fait que les conseils de prud'hommes en constituent aujourd'hui la pierre angulaire, par suite du renforcement constant de leur compétence au détriment de la juridiction de droit commun. Leur apparition et leur développement se confondent avec la naissance et l'expansion du droit du travail, leur fonctionnement éclaire les difficultés, accentuées par la crise économique, auxquelles la justice se trouve confrontée en ce domaine et permet l'ébauche des solutions qui pourraient être mises en œuvre. Replacés dans le cadre juridictionnel d'ensemble qui est le leur, ils permettent d'appréhender l'attitude de la justice face aux questions soulevées par le droit du travail, de mesurer les possibilités de celui-ci tout en mesurant ses limites.

Le moule du droit du travail

Juge des litiges individuels nés à l'occasion du contrat de travail, le Conseil de prud'hommes constitue, dans nos institutions judiciaires, une juridiction originale en raison d'une part, de sa structure paritaire et de l'élection de ses membres, salariés ou employeurs, par les justiciables, d'autre part, de l'importance que revêt dans leur fonctionnement la mission de conciliation à tous les stades de la procédure, considérée comme faisant partie de l'essence même de cette juridiction; ceci a pu faire dire que définir les prud'hommes comme une juridiction était inexact s'agissant plutôt d'une «institution arbitrale munie de pouvoirs juridictionnels».[22]

Le bipartisme est certainement la plus originale et la plus importante de ses caractéristiques qui conditionne d'ailleurs l'existence des autres et contribue à différencier nettement la juridiction prud'homale d'un tribunal classique. Dans une étude sur les Conseils de prud'hommes, M. Mac Pherson[23] a mis en évidence l'intérêt essentiel que revêt la structure bipartite pour la bonne compréhension du système français: «Les grandes forces d'une structure bipartite sont le contrôle que les conseillers, patrons et ouvriers, exercent sur leurs propres relations et l'attitude coopérative qui en résulte. Les parties sont assurées que leur affaire est étudiée et jugée par des personnes qui sont au courant des détails des relations industrielles des différentes professions et industries et qu'elles ne peuvent perdre leur affaire que si leurs représentants sont convaincus du bien fondé de la position adverse. Elles reconnaissent ainsi que les conseillers doivent considérer l'affaire objectivement et qu'elles ne peuvent s'attendre à une attitude partisane de la part de leurs représentants comme cela peut être le cas quelquefois dans un système tripartite. Le conseiller patronal ou ouvrier peut dans une structure tripartite être avocat plutôt que juge; avec le système bipartite, il est forcé d'être juge plutôt qu'avocat. C'est pour cette raison que le bipartisme — quand il peut éviter avec autant de succès qu'en France les dangers qui lui sont inhérents — est un système plus fort que le tripartisme ou le recours aux seuls juristes professionnels.»

En outre, il a été montré comment le caractère arbitral, paritaire des conseils de prud'hommes permet seul «cette confrontation permanente des intérêts, cette adaptation continuelle de la loi sociale à la coutume ouvrière et aux problèmes réels du monde ouvrier.»[24]

L'attachement très fort du monde du travail à l'institution prud'homale s'explique non seulement par le fait de son incontestable réussite, découlant tant de ses structures que de ses règles de procédure mais aussi parce qu'elle est considérée comme une conquête de la classe ouvrière. Ce n'est qu'en 1848 que l'institution prud'homale apparaît, archétype de la nôtre puisque dotée de toutes les caractéristiques que nous lui connaissons aujourd'hui, c'est-à-dire comme une juridiction paritaire, arbitrale et élue. C'est

---

22. M. Zavaro, «Historique des Conseils de prud'hommes», *Droit ouvrier*, 1960, p. 74.

23. «Les conseils de prud'hommes, une analyse de leur fonctionnement», *Droit social*, janvier 1964.

24. M. Zavaro, précité, *Droit ouvrier*, 1960, pp. 74 et suivantes.

à cette date que commence réellement l'histoire prud'homale. Cette naissance au moment même de l'émergence du droit du travail, aussi troublante qu'elle soit, pourrait n'être que fortuite; il n'en est rien lorsqu'on réalise la corrélation chronologique très nette entre les périodes d'essor du droit du travail et celles du développement des conseils, entre la régression du premier et l'abaissement des seconds. Ainsi l'idée suivant laquelle l'histoire de la juridiction prud'homale s'expliquerait à la lumière de la finalité qui est la sienne semble devoir être retenue. C'est qu'en effet l'apparition d'un droit du travail spécifique rend nécessaire l'existence d'une juridiction qui lui soit adaptée et qui constitue le moule dans lequel il peut s'épanouir.

En 1848, une rupture se produit avec la conception de la période libérale caractérisée par un développement quasiment nul du droit du travail fondé sur le seul mécanisme contractuel et laissant le travailleur, dépendant économiquement, sans défense quant aux conditions de travail.

L'apparition de la grande industrie en séparant progressivement le capital et le travail allait créer des tiraillements incessants à l'intérieur du monde industriel qui devaient se traduire parfois par des désordres graves.

Alors apparaissent réellement dans toutes leurs conséquences, les nouveaux rapports économiques, mal perçus au début de l'époque libérale, tant en raison des difficultés économiques et financières que des guerres antérieures qui avaient imposé des mesures autoritaires s'accordant mal avec les principes nouveaux, qu'il s'agisse de la tarification des salaires ou des réquisitions de main-d'œuvre. Les mentalités changent avec les conditions socio-économiques nouvelles. Les journées de juillet 1848 révèlent aux ouvriers qu'ils constituent une force. Les critiques du droit existant faites par des penseurs comme Saint-Simon, Fourrier, Louis Blanc vont être prises en compte et permettre l'éclosion d'un droit du travail dont le maître d'œuvre sera le Conseil de prud'hommes. Celui-ci, issu du décret du 27 mai 1848, conçu comme un tribunal, est composé de patrons et d'ouvriers en nombre égal. Cet équilibre est considéré comme un facteur de collaboration et de conciliation de classes.

L'histoire ultérieure de l'institution prud'homale devait être, malgré quelques avatars, celle de son constant développement; ce qui peut s'expliquer par le fait que «née dans les flancs du capitalisme, elle atteint la plénitude de son essence avec l'instauration de celui-ci en système dominant.»[25]

---

25. M. David, «Evolution historique des Conseils de prud'hommes», *Droit social*, 1974.

La crise de croissance

Les lois des 15 juillet et 27 mars 1907, votées dans l'élan du syndicalisme naissant devaient lui donner des structures durables qui lui permirent de se développer considérablement jusqu'à ce que se produise une véritable « crise de croissance » que les mutations industrielles des années 1960 firent éclater au grand jour. Les règles présidant à l'organisation et au fonctionnement des conseils, tout comme le rôle qui leur était dévolu se révélaient inadaptés aux conditions sociales nouvelles. Mais surtout, « l'extension du rôle policier de l'administration en matière d'emploi et de main-d'œuvre présentait le double inconvénient de confiner les conseils de prud'hommes dans la connaissance des litiges les plus simples tandis que le contentieux administratif du travail se développait dangereusement »[26], ce qui pouvait conduire à terme à leur marginalisation.

La rénovation d'ensemble de l'institution prud'homale s'imposait. Elle devait être l'œuvre de la loi du 18 janvier 1979. Cette dernière exauçait les vœux de tous ceux qui, voyant dans les Conseils de prud'hommes un excellent instrument d'élaboration du droit social, réclamaient un renforcement de leur compétence. Il fut procédé, en effet, à leur généralisation, tant sur le plan géographique par la mise en place d'un Conseil de prud'hommes dans le ressort de chaque tribunal de grande instance, que sur le plan professionnel, aucune profession n'échappant désormais à la juridiction du travail dont le nombre des sections autonomes qu'elle doit comporter obligatoirement est fixé uniformément[27]. Certes, le Conseil de prud'hommes demeure, d'un point de vue strictement juridique, une juridiction d'exception puisque sa compétence est limitée à la seule connaissance des litiges que la loi lui attribue. Mais ceci ne doit pas masquer sa réalité profonde : il est devenu la véritable juridiction du droit commun du travail.

Ce succès n'est pas sans effet pervers et les difficultés de fonctionnement paraissent avoir été plutôt aggravées que résolues par la réforme. Le nombre des affaires en attente d'un jugement est passée de 37 000 au 31 décembre 1979 à 90 000 au 1er juillet 1981. Les délais de jugement se sont encore allongés, dépassant deux ans notamment au conseil de Paris, abcès toujours stigmatisé et jamais crevé de la carte prud'homale[28]. Ainsi, l'impé-

---

26. B. Boubli.
Précité, *Les Prud'hommes*, p. 5.

27. Sections de l'encadrement, section de l'industrie, section du commerce et des services commerciaux, section de l'agriculture, section des activités diverses.

28. A. Supiot, « Prud'hommes : la consécration de la réforme Boulin », in *Droit social*, septembre-octobre 1982, pp. 595 et suivantes.

ratif d'efficacité, c'est-à-dire de rapidité qui a toujours été considéré comme la vertu première de cette juridiction, en même temps que sa raison d'être, se trouve mis en échec; ce qui constitue pour elle, à terme, un péril grave. A cet égard, si la loi du 6 mai 1982[29], tirant les enseignements de l'application de celle de 1979, a eu pour vertu de parachever certaines de ses tendances, notamment dans le domaine de la généralisation, et de combler certaines de ses lacunes, comme en matière électorale, il est à craindre que le souci de remédier aux difficultés de fonctionnement de l'institution prud'homale reste un vœu pieux. Les mesures proposées en ce domaine apparaissent trop timides pour permettre d'envisager raisonnablement l'avenir avec optimisme. On peut se demander si la remise en cause de l'existence des sections n'aurait pas été le remède le plus approprié à la situation de crise que traduit le fonctionnement de la juridiction prud'homale à travers son déséquilibre interne; en effet, 28% des conseillers des sections industries ont dû traiter en 1980, 44,2% des affaires, tandis que, dans le même temps, les 17,2% des conseillers des sections «agriculture» traitaient 2,8% du contentieux. Une telle suppression serait d'autant plus justifiée qu'elle répondrait à une conception beaucoup plus actuelle de cette juridiction, plus chargée d'appliquer des règles générales d'origines législative ou conventionnelle que de faire respecter des usages professionnels locaux.

La prévention des litiges pourrait également contribuer à résorber le contentieux. Elle consisterait à inciter les partenaires sociaux à adopter une procédure paritaire, interne à l'entreprise, préalable à la saisine du Conseil de prud'hommes et destinée à tenter de régler à l'amiable les litiges individuels, à l'instar des institutions conventionnelles qui existent déjà dans de grandes entreprises comme les Wagons-Lits ou dans certains secteurs d'activité comme les caisses d'épargne. Le système aurait d'autant plus de chances de succès qu'il résulterait d'un accord des partenaires sociaux par le biais des conventions collectives.

Une institution menacée

Au-delà de ces difficultés considérables de fonctionnement, source de paralysie, on peut se demander si un péril plus grave encore, parce que plus difficilement perceptible, ne menace pas l'institution prud'homale. Dans le domaine du Droit social, «c'est

---

29. Rapport A. Rabineau, au nom de la commission des affaires sociales du Sénat, documents Sénat n° 237, 1981-1982, p. 15.

l'administration et, par voie de conséquence, la juridiction administrative qui ont été les principales bénéficiaires des textes intervenus depuis la dernière guerre mondiale. L'ordonnance du 22 février 1945 et les lois des 16 avril 1946 et 27 décembre 1968 ont donné compétence aux services de l'inspection du travail pour autoriser ou refuser le licenciement des représentants élus ou désignés du personnel, faisant ainsi basculer une partie du contentieux du licenciement dans la compétence des juridictions administratives. La solution est la même pour les licenciements pour cause économique qui, depuis la loi du 3 janvier 1975 échappent également à la compétence du juge naturel du contrat de travail.»[30] Tout se passe comme si les conseils de prud'hommes continuaient à se voir relégués dans leur rôle originel de juges du contrat de travail alors que s'est opéré plus récemment un glissement, ou tout au moins une superposition des rapports individuels aux rapports collectifs. Comme l'a écrit M. Ollier; «le droit du travail devient par la force des choses celui des collectivités en conflit, il embrasse l'ensemble des institutions et des moyens de lutte, de négociation et d'arbitrage qui concourent à la détermination des conditions du travail.»[31] On est donc en droit de se demander si la juridiction prud'homale et partant, l'ordre judiciaire dont elle relève, ne se trouveront pas, à terme, faute d'élargissement de leur compétence, dépossédés de la connaissance du droit social en devenir. En affirmant la compétence prud'homale pour les litiges relatifs aux petits licenciements économiques à l'occasion de la réforme du 18 janvier 1979 le législateur a commencé à réagir contre ce qui pourrait devenir le «dépérissement» prud'homal.

Les licenciements économiques, ou le droit et l'absurde

Source d'interrogation pour l'avenir, l'intervention administrative dans le champ juridictionnel du travail ne va pas sans présenter de nombreux inconvénients pour le présent. On peut citer, parce qu'elle est exemplaire d'une situation véritablement kafkaienne, dans un domaine pourtant particulièrement sensible, aux retombées humaines et sociales considérables, la procédure des licenciements collectifs en matière économique. Le législateur de 1975 a prévu que de tels licenciements sont subordonnés à une autorisation préalable du directeur départemental du travail et de la main-d'œuvre, lequel va vérifier, dans le délai qui lui est imparti, les conditions d'application de la procédure de concertation, la réalité

---

30. P. Leroux-Cocheril, «Les nouveaux Conseils de prud'hommes», *Sirey*, 1980, p. 4.
31. P. Ollier, précité, *Le droit du travail*, p. 14.

des motifs invoqués pour justifier les licenciements ainsi que la portée des mesures de reclassement et d'indemnisation, avant de faire connaître à l'employeur soit son accord soit son refus d'autorisation. Cette décision peut tout d'abord faire l'objet d'un recours hiérarchique devant le ministre du Travail qui peut la confirmer ou la réformer. Elle est ensuite susceptible d'un recours pour excès de pouvoir porté devant le tribunal administratif dont le jugement peut être soumis, en appel, au Conseil d'Etat. Cette question préjudicielle de l'autorisation administrative tranchée, le Conseil de prud'hommes, parce qu'il est seul compétent pour décider des droits du salarié va se prononcer sur les demandes d'indemnités, qui pourraient être accordées au salarié, à la charge de son dernier employeur. Mais il ne pourra pas remettre en cause, en raison du principe de la séparation des pouvoirs, l'appréciation administrative des motifs invoqués. La décision prud'homale pourra, suivant les cas, être déférée à la Cour d'appel ou soumise directement à la censure de la Cour de cassation. Ici prend fin ce que M. Langlois a fort justement appelé «le labyrinthe infernal du salarié licencié pour motif économique.»[32] Que penser d'un système qui est d'autant plus compliqué et long que les questions en suspens sont humainement et économiquement importantes et requièrent de ce fait une solution rapide? Encore, cette complexité et cette lenteur pourraient-elles se justifier en partie si les garanties données aux justiciables s'en trouvaient accrues. Or, il n'en est rien. Bien au contraire, tout concourt à rendre illusoires les contrôles administratifs et contentieux sur les motifs économiques invoqués par l'employeur. La décision administrative d'autorisation peut être seulement tacite, c'est-à-dire résider dans le silence gardé par le directeur départemental jusqu'à l'expiration du délai légal prescrit, ce qui, on en conviendra, limite singulièrement la valeur protectrice de l'intervention administrative. La garantie juridictionnelle donnée aux intéressés n'est guère plus sérieuse puisque le juge administratif refuse de procéder à un contrôle «entier», portant sur la question de savoir si les faits sont de nature à justifier le licenciement et si la situation de l'entreprise est telle que le licenciement s'impose. Il se borne à un contrôle «restreint» portant sur la matérialité des faits, l'erreur manifeste ou le détournement de pouvoir, de sorte que les chances pour les salariés de faire annuler l'autorisation litigieuse sont des plus limitées.

---

32. Ph. Langlois, *Droit social,* 1981, p. 290.

Appréciant ce système qu'il qualifie de «parcours du combattant», M. Dupeyroux écrit que «sur le papier des codes cela est sans doute du meilleur effet et l'on comprend que ces subtilités puissent faire les délices de ceux qui profession de taquiner la norme juridique. Mais sur le terrain? Chefs d'entreprise et salariés n'ont-ils pas la vague impression qu'on se paie leur tête?»[33] Qui ne voit en effet qu'un tel système finit par discréditer la justice, son intervention se révélant illusoire en raison de la complexité des règles qu'elle doit mettre en œuvre, réputées protectrices des justiciables et au respect desquelles ces derniers finissent par être sacrifiés. Un effort de clarté et de simplification est indispensable, il pourrait passer, notamment, par un regroupement des compétences au profit de la juridiction judiciaire à condition toutefois que les moyens matériels et humains nécessaires à une telle restructuration lui soient donnés.

Juridiction spécifique par les caractéristiques qui lui sont propres, le Conseil de prud'homme n'en est pas moins fortement intégré à l'ordre judiciaire; ce qui marque la limite de son autonomie.

L'attachement au bipartisme

Cette intégration se trouve d'abord marquée par l'intervention du juge départiteur, magistrat professionnel nommé chaque année par l'Assemblée générale de la Cour d'appel et dont l'intervention se révèle indispensable toutes les fois que la parité employeurs-salariés au sein des formations du bureau de conciliation et de jugement conduit au blocage. Le rapporteur de la Commission des affaires sociales du Sénat[34] avait indiqué que dans 97% des cas, les prud'hommes se passaient de cette intervention qui pouvait, dès lors, paraître marginale. En réalité, la portée des statistiques en ce domaine comme dans bien d'autres, doit être relativisée. Elles dissimulent des résultats extrêmement variables suivant les conseils, la fourchette se situant plutôt entre 30% et 40% de sorte qu'il est bien difficile de se prononcer sur le succès de l'institution prud'homale dans sa structure paritaire. Ces résultats laissent donc ouverte la question de savoir s'il ne conviendrait pas de substituer l'échevinage au paritarisme bien que le monde du travail s'y montre très hostile. Il faut savoir la vigueur de ses réactions toutes les fois qu'il a estimé menacées les institutions

---

33. Dupeyroux, «Incertitudes et aberrations», *Droit social,* avril 1978, pp. 3 et suivantes.
34. A. Rabineau, Rapport précité, p. 13.

prud'homales par la remise en cause de ses caractéristiques fondamentales. C'est pour la défense de ce mode d'organisation bipartite que la CGT et la CFDT s'opposèrent, en 1970, au projet gouvernemental de chambres sociales dans les tribunaux de grande instance qui, en donnant une place importante aux magistrats de carrière pour juger les litiges du travail, faisait des Conseillers prud'hommes de simples assesseurs et tendait ainsi à supprimer le bipartisme. C'est pour ce même motif qu'ils s'étaient opposés en 1954 au «Projet Laroque» qui tendait à rassembler le contentieux social sous l'égide d'un troisième ordre de juridiction, faisant de l'échevinage une étape préalable à la mise en place de juridictions composées exclusivement de magistrats professionnels. C'est pour les mêmes raisons que le bureau de la commission exécutive des Conseils de prud'hommes de France condamna, le 12 décembre 1959 la proposition tendant à faire présider les conseils par un magistrat professionnel.

Les indispensables limites à l'autonomie

C'est donc essentiellement par la voie de l'appel et du pourvoi en cassation, que se réalise l'intégration prud'homale dans la Justice. Ce passage «d'un type de juridiction à un autre et souvent d'un type d'appréhension d'un droit à un autre» a été souligné[35] et parfois même déploré comme nuisible à l'autonomie du droit social qu'il contrarierait. On a aussi opposé les juridictions judiciaires, gardiennes d'un ordre public traditionnel stable et d'inspiration libérale aux juridictions paritaires d'exception, connaissant d'un ordre public, économique et social essentiellement protecteur et mouvant[36], les premières étant dès lors mal armées pour se substituer aux secondes. C'est d'ailleurs au nom de cette autonomie que la formation juridique commune à tous les conseillers prud'hommes, ouvriers comme patrons, prévue par le décret du 14 octobre 1980 et dispensée par les magistrats des chambres sociales des Cours d'appel fut vivement critiquée par les organisations syndicales. Pour elles, l'assujettissement pédagogique des prud'hommes aux magistrats professionnels ne pouvait que limiter leur capacité d'interprétation dynamique du droit du travail, l'idée même de neutralité de la formation étant par ailleurs contestée. Le décret du 11 décembre 1981, abrogeant le précédent, a autorisé les organisations professionnelles et syndicales à créer des organismes à but non lucratif, prenant en charge la formation de leurs élus.

---

35. A. Supiot, précité, p. 605.
36. B. Boubli, précité.

Il n'est pas du tout certain que l'institution prud'homale s'en soit trouvée renforcée. La liberté dont les Conseils disposent dans l'interprétation du droit du travail, pour être réelle, suppose que la décision ne procède pas d'a priori dogmatiques de ceux qui la prennent. Leur crédibilité est entamée s'ils apparaissent comme un instrument d'antagonisme, s'inscrivant dans la démarche stérile de lutte des classes, et non comme un facteur de conciliation dans le monde du travail.

On le voit, la question de l'autonomie du droit du travail est fondamentale, puisque de la réponse apportée, découlent la conception et le rôle de la justice en matière sociale, avec ses possibilités et ses limites.

L'intervention de la Cour de cassation en la matière a été critiquée sous le prétexte qu'elle remettait en cause le paritarisme au nom de la prééminence du droit sur le fait, alors même que les règles techniques que la Cour suprême met en œuvre, inspirées du droit privé, seraient mal adaptées aux relations du droit du travail. C'est oublier que la Cour de cassation — comme d'ailleurs les Cours d'appel — consacre dans son organisation, comme dans son fonctionnement, la spécificité du droit du travail et s'efforce d'apporter des solutions appropriées aux questions qu'il pose. En créant en 1938, en son sein, une Chambre sociale, elle a fait sienne l'approche dynamique du droit du travail pour le développement duquel elle joue désormais un rôle essentiel; c'est ignorer que le droit du travail doit être unifié, dans son interprétation, au stade ultime des recours, son caractère mouvant n'étant pas exclusif de la sécurité juridique qu'il doit procurer aux justiciables. C'est encore feindre de croire, que le droit est dominé par une seule logique qu'il suffirait de suivre pour rendre une bonne justice.

L'abandon par la Cour de cassation d'une approche purement civiliste du droit du travail ne peut être sérieusement contestée, pas plus que la préoccupation de construire un droit conçu d'abord comme protecteur des salariés. On comprend dès lors qu'elle retienne fréquemment des solutions que n'appelerait pas une lecture traditionnelle des textes: ainsi, par exemple, lorsqu'elle autorise les salariés mis à la disposition d'une autre entreprise par leur employeur, à participer aux élections professionnelles dans celle-ci, ou lorsqu'elle palie au vide juridique dans la législation relative au contrat à durée indéterminée ou au travail temporaire.

Mais ce souci de protection ne saurait pour autant être sans bornes et justifier une violation de la loi par ceux qui sont chargés de l'appliquer... (même s'il leur est pourtant reproché de ne pas le faire). La loi du 13 juillet 1973 sur le licenciement illustre parfaitement les limites de l'intervention du juge social: la règle traditionnelle de procédure civile, selon laquelle la preuve incombe au demandeur, a été écartée par le législateur de 1973, le salarié ayant très souvent de grandes difficultés à prouver l'abus commis par l'employeur dans l'exercice de son droit de résiliation unilatérale. Il a alors été décidé qu'aucune des parties ne supportait spécialement le fardeau de la preuve, le juge établissant sa conviction «au vu des documents fournis par les parties et, au besoin, après toutes mesures d'instruction qu'il estime utile.» Ainsi que le déclarait le Ministre du Travail lors du vote de la loi à l'Assemblée Nationale, «sil me fallait répondre à la question de savoir qui désormais, de l'employeur ou de l'employé portera la charge de la preuve, je serais tenté de dire sans aucune ironie, cest le juge.» Le système probatoire nouveau, favorable au salarié, était donc clairement défini, ce qui n'empêcha pas les critiques de pleuvoir sur la Cour de cassation toutes les fois qu'elle fut, logiquement, conduite à censurer les décisions des juridictions lorsqu'elles spécifiaient que la charge de la preuve incombe à l'employeur. Ainsi que l'expliquait le président Laroque «que le texte soit un texte de compromis, c'est possible, mais il est comme il est!»[37]

En outre, nul ne conteste que le droit du travail constitue le terrain sur lequel s'affrontent des logiques contradictoires exprimant des intérêts antagonistes[38].

Ces contradictions, qui se traduisent par l'opposition de normes juridiques de natures différentes, appellent nécessairement la recherche d'un équilibre et d'une conciliation. En effet, si le droit du travail, est essentiellement protecteur des salariés, on ne voit pas au nom de quel principe il pourrait nécessairement prévaloir sur toute autre norme juridique de même valeur. L'exemple du droit de grève, cessation concertée du travail, est intéressant à cet égard. Parce qu'il constitue pour les travailleurs un moyen essentiel pour faire valoir leurs revendications, il se voit consacré en tant que principe de valeur constitutionnelle. Il ne saurait pour autant être absolu, devant être aménagé avec d'autres principes de même force, tel le droit de propriété ou le droit au travail, si l'on ne veut pas qu'un droit serve à nier un autre. Lors de son congrès de 1983, le Syndicat de la Magistrature s'est indigné que «dans le domaine du travail, la Cour de cassation, dans la ligne du Conseil constitutionnel, n'hésite pas à engager la responsabilité des syndicats

---

37. M. le président Jean Laroque, *Droit social*, 1978, n° 4, p. 8
38. P. Ollier précité.

en grève et même plus récemment celles des grévistes, en faveur des non grévistes. Le droit de grève avec occupation s'exerce pourtant sur l'outil de travail, sur lequel les travailleurs ont acquis des droits, par delà le sacro-saint droit de propriété du seul capital. »

De tels propos ont le mérite d'illustrer parfaitement la démarche idéologique. A partir d'un choix réputé infaillible, car seul susceptible de répondre au «sens de l'histoire», il s'agit de sélectionner rigoureusement les normes juridiques. Celles qui peuvent servir à la réalisation de «l'Idée» réputée transcendante sont mises en exergue et la moindre atténuation de leur portée est dénoncée avec force, tandis que celles qui constituent un frein et a fortiori un obstacle sont ignorées ou contestées. Le droit ne constitue plus alors que le masque sous lequel s'abrite l'intolérance. Il devient l'arme d'un combat pour un ordre différent. Il se confond avec l'arbitraire et le cynisme.

En dehors du terrain de la lutte politique, tout droit est susceptible d'abus et peut engager, dans ce cas, la responsabilité de celui qui l'exerce. Cette théorie, née il y a près de cinquante ans, pour donner au droit de propriété une fonction sociale, est très générale et l'on voit mal pourquoi le droit de grève demeurerait seul hors de son champ d'application. Par ailleurs, quel mystérieux critère devrait nécessairement faire préférer les grévistes aux non grévistes. Quelle impérieuse raison devrait faire prévaloir les droits des travailleurs à ceux du chef d'entreprise? S'il en existe une, elle n'est certainement pas juridique! Privée du douillet confort que procurent les certitudes, la Chambre sociale, à travers les affaires qui lui sont soumises, veille à protéger efficacement le droit de grève en annulant toute mesure qui aurait pour objet de sanctionner directement ou indirectement les grévistes, au travers de mesures discriminatoires. Elle veille, dans le même temps, à protéger l'entreprise en déclarant abusives certaines modalités de la grève, notamment lorsque les circonstances traduisent la volonté concertée des grévistes de désorganiser gravement l'entreprise, en permettant le licenciement de salariés ayant commis une faute lourde lors de la grève. Elle doit aussi protéger le droit de propriété du chef d'entreprise lorsqu'il est gravement violé, notamment par suite de l'occupation des locaux. Elle a en outre pour mission de préserver la liberté individuelle du travail à laquelle certains piquets de grève peuvent constituer des entraves en condamnant les salariés grévistes qui ont bloqué l'accès de l'entreprise à payer aux non grévistes le montant de leur perte de salaire. Mais elle veille surtout à assurer la liberté des syndicats dans les conflits collectifs en décidant que leur responsabilité ne peut, en principe, être engagée à l'occasion d'une grève notamment quant aux conséquences de cette grève envers les tiers. Bien entendu, elle n'omet pas de définir la limite de la liberté syndicale en faisant une application, très restrictive d'ailleurs, de la théorie de la responsabilité. Elle ne retient la responsabilité des syndicats que s'il est établi qu'ils ont participé à des agissements constitutifs d'infractions pénales ou à des faits ne pouvant se rattacher à l'exercice normal du droit de grève.

La jurisprudence de la Chambre criminelle de la Cour de cassation en matière d'hygiène et de sécurité illustre la même démarche qui s'efforce de concilier le maximum de protection dû aux salariés avec le respect des principes juridiques de droit commun. On sait qu'en ce domaine, toutes les prescriptions obligatoires, d'origine législative ou réglementaire, sont assorties de sanctions pénales et que, chaque fois qu'il y a accident, la mise en œuvre du droit commun pénal peut conduire à appliquer également les sanctions prévues pour le délit d'homicide ou de blessures par imprudence. Les juges de la Cour suprême se sont efforcés de développer une politique criminelle tendant à inciter les chefs d'entreprise à accroître leurs efforts pour la prévention des accidents de travail. Et, dans cette optique, ils ont donné un champ d'application très large aux agissements de l'employeur susceptibles d'être qualifiés de légalement fautifs au regard de la réglementation de l'hygiène et de la sécurité, sans aller pour autant jusqu'à la solution inconciliable avec les principes de base de notre droit, qui voudrait que chaque fois qu'un accident se produit ou qu'une infraction aux règles de sécurité est constatée, la responsabilité pénale soit systématiquement située au plus haut niveau hiérarchique de l'entreprise.

L'autonomie absolue du droit social, affranchie du respect de toutes les autres normes juridiques serait non seulement inconcevable juridiquement mais absurde économiquement car «la vocation protectrice du droit du travail trouve sa limite dans les fondements mêmes du régime économique. Dans une économie fondée sur l'optimisation financière des investissements et soumise à la sanction du marché, la sécurité de l'emploi et l'amélioration du gain, préoccupation primordiale des travailleurs, dépendent de la conjoncture et de la politique économique... Ainsi, lorsque s'affirme la maîtrise des phénomènes économiques, lorsqu'il apparaît que l'expansion dans l'équilibre est la condition de tout véritable progrès social, le droit de travail cesse d'avoir sa fin en lui-même.»[39]

---

39. P. Ollier, précité.

Ces raisons évidentes sont désormais très largement partagées car l'approche idéologique s'est nettement effacée au profit d'une conception plus pragmatique et réaliste, souscieuse avant tout d'efficacité. Aussi, l'exigence d'un droit du travail, à la fois protecteur et conciliateur n'est plus guère remise en cause. Dans ces modifications, la crise économique a joué un rôle fondamental mettant en évidence, au-delà des antagonismes inéluctables, les réseaux d'intérêts communs qui unissent les travailleurs et l'entreprise. Elle a permis de dégager un consensus plus large sur les règles du jeu applicables aux relations industrielles.

La question est donc moins «quel droit et pour quoi faire» que la revendication d'un droit efficace parce que rapide. Le droit n'est pas un «gadget» pour spécialistes. Il existe pour être appliqué, particulièrement le droit du travail qui requiert efficacité, c'est-à-dire simplicité et célérité. Ces impératifs sont d'ailleurs, nous l'avons dit, à l'origine même de la création de l'institution prud'homale. Ils ont été malheureusement perdus de vue par les législateurs qui, édictant des règles trop complexes, à la mise en œuvre trop lourde, confiée à des juridictions trop nombreuses, ont finalement privé le salarié de la protection qu'ils ambitionnaient de lui procurer. Ce phénomène n'a fait qu'amplifier l'engorgement juridictionnel consécutif à la crise. Celui-ci est la source d'un gonflement du contentieux aussi bien à la base de la pyramide constituée par les prud'hommes qu'à son sommet où se trouve la Chambre sociale de la Cour de cassation. Celle-ci a reçu deux fois plus d'affaires en 1983 qu'en 1982, de sorte que, malgré une évacuation aussi accélérée que possible des dossiers, il lui restait à juger, en 1983, plus de 10 200 pourvois! L'ensemble du système juridictionnel est donc menacé de paralysie: un procès met en moyenne 14 à 18 mois pour être jugé en première instance, un peu plus de deux ans pour l'être en appel, et environ trois ans pour l'être en cassation. La gravité de la situation révélée par ces chiffres appelle des réponses appropriées qui ne peuvent plus être différées. Les solutions requièrreront beaucoup d'imagination de la part des juges par une remise en cause des méthodes qui sont les leurs, du législateur par une indispensable simplification du droit, du gouvernement qui doit donner à la justice les moyens de fonctionner, du justiciable et des avocats qui ne pourront pas réclamer rapidité et perfectionnisme. La survie de la justice du travail sera à ce prix.

Conclusion

La justice décevra toujours: confrontée au problème métaphysique du bien et du mal, elle ne peut que fournir les réponses relatives que les hommes, génération après génération, s'efforcent de lui apporter. La vie fausse la balance du vrai et du faux et fait éclater les certitudes.

Menacée par la volonté hégémonique du Pouvoir, démembrée et fractionnée dans son organisation, déchirée par les démons de la politique et de l'intolérance, une mystérieuse malédiction semble acharnée à sa perte. L'esprit se rebelle devant cette justice désorganisée, porteuse de vérités contraires.

Elle puise pourtant dans l'image maladroite et déformée qu'elle offre, les raisons d'un perpétuel effort, comme pour reconstituer, en se dépassant, son archétype.

La remise en cause récente du rôle de l'Etat — si elle traduit une évolution durable et profonde de la société française — pourrait avoir pour effet de mettre un terme à la situation défavorisée et parfois marginale de notre justice depuis 1789. Dans un système où se multiplient les centres de pouvoir, le droit cesse d'être l'instrument de la tutelle de l'Etat sur la société. Il devient le moyen privilégié de l'autorégulation sociale en définissant les règles du jeu entre les divers partenaires, dont l'Etat. Il permet l'adaptation rapide et souple aux problèmes nouveaux qu'une réglementation tatillonne s'épuise à appréhender. Il constitue le moule dans lequel peut s'épanouir la liberté. Prolongeant la réflexion menée, voilà 150 ans par Tocqueville, Laurent Cohen—Tanugi a magistralement mis en lumière les inconvénients du modèle de régulation étatique français, frein à la modernisation et à la compétitivité internationale de notre pays. En contrepoint, il a démontré comment la «société contractuelle» telle qu'elle existe depuis toujours aux Etats-Unis, caractérisée par une large dissémination du pouvoir social et fondée sur quelques principes intangibles, favorise l'épanouissement d'une démocratie plus riche et plus mûre.

La loi de décentralisation de 1982 peut constituer le début d'une évolution de la France, avec son génie propre, vers une société multipolaire. Mais les pesanteurs historiques, sociologiques et politiques ne risquent-elles pas d'étouffer ce processus?

Dans l'immédiat, avec les faibles moyens dont il dispose, il reste au juge, plaçant l'humanisme au centre de son éthique, à faire preuve d'une indépendance qui ne doit pas pour autant dégénérer en arbitraire, d'une imagination qui ne peut, sans risque, abandonner toute référence au réel et d'une générosité qui se garde de l'angélisme.

Bibliographie

Ouvrages

Pierre ALBERT, *La Presse*, Que sais-je? PUF, 1982, 6e édit., 128 p.

Pierre ALBERT, *La presse française*, Documentation française, 1978.

Marc ANCEL, *La défense sociale nouvelle*, Editions Cujas, 2e édit., 1971, 391 p.

Raymond ARON, *La révolution introuvable*, Fayard, 1968, 186 p.

Pierre ARPAILLANGE, *La simple justice*, Julliard, 1980, 304 p.

Elisabeth BADINTER, *Les remontrances de Malesherbes*, coll. 10/18, 1978, n° 1268, 285 p.

Bernard BOUBLI, *Les Prud'hommes*, Que sais-je? PUF, 1984, 128 p.

Georges BURDEAU, *Traité de science politique*, T. IV, Le statut du pouvoir dans l'Etat, Librairie de droit et de jurisprudence, 1969, 695 p.

Casamayor, *Questions à la justice*, Stock, 1974, 193 p.

Casamayor, *Les juges*, Le seuil, Coll. le temps qui court, 1957, 191 p.

Laurent COHEN-TANUGI, *Le droit sans l'Etat, Sur la démocratie en France et en Amérique*, PUF, Recherches politiques, 1985, 206 p.

M. CROZIER, *Le phénomène bureaucratique*, Seuil, 1963, 316 p.

Michel DEBRE, *Au service de la nation*, Stock, 279 p.

Michel DEBRE, *Mort de l'Etat républicain*, Gallimard, 1947, 243 p.

Maurice DUVERGER, *la Ve République*, PUF, 1959, 324 p.

Michel FOUCAULT, *Surveiller et punir*, NRF GALLIMARD, 1974, 315 p.

Maurice GARÇON, *Défense de la liberté individuelle*, Librairie Arthème Fayard, 1957, 127 p.

Maurice GARÇON, *Lettre ouverte à la justice*, Albin Michel, 1966, 142 p.

Bertrand de JOUVENEL, *Du Pouvoir*, Hachette Littérature, 1975, 462 p.

Michel JEOL, *Changer la justice*, Simoën, 1977, 216 p.

Henri LEFEVRE, *De l'Etat, l'Etat dans le monde*, coll. 10/18, Union Générales d'Editions, 1976, 389 p.

Paul LEFEVRE, *Les serviteurs de la justice*, Julliard, 1974.

Paul LIBMAN et H. EMMANUEL, *Justice impossible*, R. Laffont, 1974.

Gérard MASSON, *Les juges et le pouvoir*, Moreau-Syros, 1977, 496 p.

Pierre OLLIER, *Le droit du travail*, A. Collin, 1972, 1972, 591 p.

P. ROBERT et C. FAUGERON, *Les forces cachées de la justice française*, Le Centurion, 1980.

Marcel ROUSSELET, *Histoire de la Magistrature française*, Plon, 1957, T. 1, 448 p. T. 2, 437 p.

Emile de SAINT AUBAN, *La justice sous la IIIe République*, Gallimard, 1931, 2e édit., 265 p.

Alexis de TOCQUEVILLE, *De la démocratie en Amérique*, Garnier Flammarion, T. 2, 1980.

Jean Marc THEOLLEYRE, *Ces procès qui ébranlèrent la France*, Grasset, 1966.

Jacques TOUBON, *Pour en finir avec la peur*, R. Laffont, coll. Franc Parler, 1984, 202 p.

Ouvrages collectifs

Droit et société : revue internationale de théorie du droit et de sociologie juridique, n° 1, LGDJ, 1985.

Droit des faillites et restructuration du capital, Presses Universitaires de Grenoble (PUG), 1982, 256 p.

Le droit social et l'entreprise en difficulté ou en liquiditation, Droit social, Librairie sociale et économique, février 1978, 169 p.

La NEF, *la justice en question,* Librairie Jules Tallandier, janvier-mars 1970, cahier n° 39, 168 p.

La refonte du droit de la faillite, Publications de l'Université de Lille, III, 1978.

Syndicat de la magistrature, *Au nom du peuple français,* Lutter/Stock, 1974, 245 p.

Syndicat de la magistrature, *Justice sous influence,* Maspéro, 1981, 256 p.

L'Union Fédérale des Magistrats, *Au service de la pensée judiciaire,* Imprimerie administrative de Melun, 1971, 129 p.

Réponses à la violence, rapport du comité présidé par Alain Peyrefitte, Presses Pocket, 1977, T. 1, 238 p.

Institut d'Etudes Politiques de Strasbourg, *Justice et Politique,* colloque, Presse Universitaire d'Alsace, 1974.

Revues

Justice, journal du syndicat de la magistrature (SM).

Le Pouvoir Judiciaire, journal de l'Union Fédérale des Magistrats (UFM).

Le Nouveau Pouvoir Judiciaire, journal de l'Union Syndicale des Magistrats (USM).

Sommaire

**DEUXIEME PARTIE :
LA JUSTICE FACE A LA SOCIETE : UNE INSTITUTION
TRES CONTROVERSEE**

Composé par Economica, 49, rue Héricart, 75015 PARIS
Imprimé en France. — JOUVE, 18, rue Saint-Denis, 75001 PARIS
N° 14628. Dépôt légal : Janvier 1986